不要做自己了，你做個人吧。

被討厭沒關係，被欺負不可以
有些話該說就說、有些臉該翻就翻

|德州媽媽沒有崩潰|
Mumu．著

謹將此書獻給

需要勇氣的人

有人想把你埋了，不用怕，你是種子。

有人嘲笑你，不用攔，讓他們笑死。

給珍藏版讀者的話

完全沒有想過自己的書能成為年度暢銷書
且改版慶功，
驚喜感動不可言喻。
這本書讓我收到以往從未有過、數量眾多的迴響，
我掏空心思完成了這本書，
而千百封的溫暖回饋，又再度把我的心填滿。
謝謝讀者們，
我會把我收到的所有善意，
都再加上一點自己能給的傳播出去。

文字原本是我用來織給自己的網，
如果這本書也剛好接住你，
那謝天謝地，我們一起躺一會吧！

mumu ♡

目次
contents

心靈烈酒

第1章

教養修羅場

第2章

不聽老人言，開心好幾年

第3章

給沮喪的你

第4章

黑金媳婦

第5章

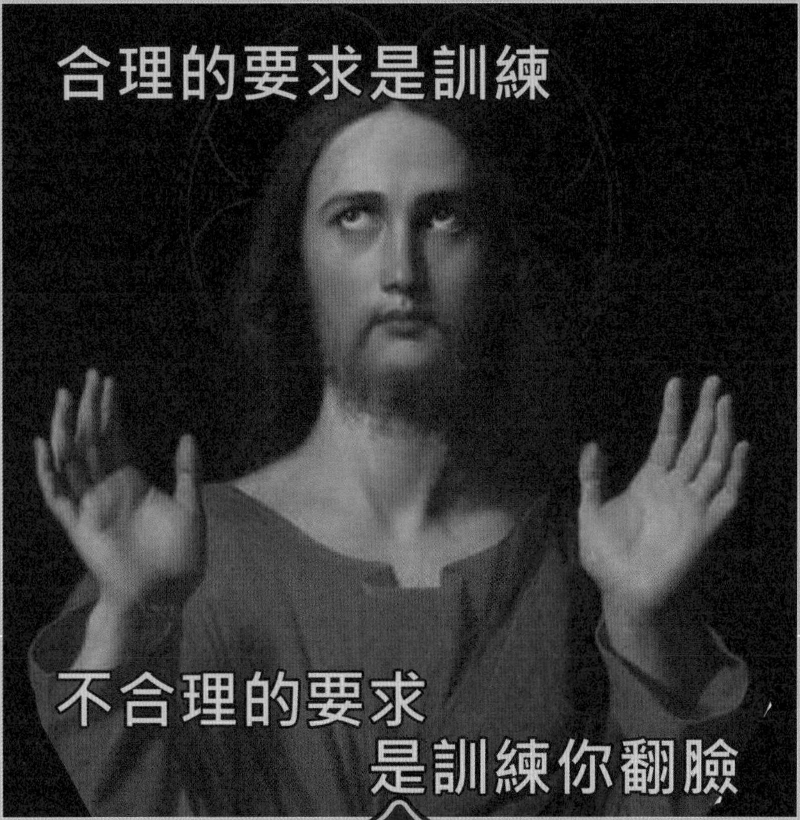
合理的要求是訓練
不合理的要求
是訓練你翻臉

心靈烈酒

第1章

01 愛與不愛一樣坦然

我是一個在婚姻制度中
感受到幸福的已婚婦女，
但我同時認為
不婚與離婚皆是很好的選擇，
就跟我愛我的小孩，
但我也覺得不生小孩非常好一樣。
一個對自己的選擇感到滿意的人，
是不需要拉別人跟自己站隊的。

在婚姻裡感受不到幸福就能結束、
覺得人生沒有小孩比較快樂就不生，
想離開就能離開、想不要就能不要，
擁有選擇的權利，是社會進步的象徵。

所以不要去跟單身的人
或是不生小孩的人說：
「你現在不婚不生，以後會後悔。」
明明大家結婚或生小孩時，
也沒有人去跟你們說：「你們結婚生小孩，以後會後悔。」
畢竟真要比後悔的例子，兩方的數量很難分出高下呢。

結婚和離婚都是為了追求幸福。
擁有過就是擁有過，
離婚的人千萬不要覺得自己失敗，
只要曾經有過幸福，那就是有收穫。
況且終止不等於失敗，
又不是只有走到人生盡頭的婚姻才是好婚姻。

就算你認定不相愛了就是失敗，那又怎麼樣呢？
人生本就充斥著各樣失敗啊。
坦然也是力量，
坦然的說出「我們不相愛了」，
跟讓大家知道「我們非常相愛」都是真實的力量。

我很不喜歡社會常常透露了一股「說出自己離婚很不光采的」氛圍，
助長這個氛圍的人，往往跟看不慣別人曬恩愛的是同一撥人。
離婚時不能說，覺得丟臉，
恩愛時也不能說，要小心被打臉。
彷彿別人知道了什麼，就會改變自己的命運一樣，
要別人藏著掖著，平白為別人的感情關係加上羞恥感。
明明離婚不用羞恥、恩愛時也不必患得患失。

還有人會酸溜溜的說「曬什麼就是缺什麼」、「越沒安全感越愛曬恩愛」，
我完全不這麼認為。

曬恩愛這件事對關係的影響是正面的，
向世界昭告自己跟伴侶很幸福，能讓伴侶更有安全感，
而且在曬恩愛中，表達出的感謝也是一種對關係的珍惜。
我並不會因為一曬恩愛就有包袱，
又不是曬過恩愛就不能分開，
就算最後分開了，也不代表當初的愛是假的啊，
曬的時候是真愛，
分的時候是真不愛，
坦坦蕩蕩自自然然，
愛情這東西這麼玄妙，
哪有什麼打不打臉的。

02 平凡

我從小就清楚的認知到自己的平凡。
我聰明的程度，
就是能意識到自己不夠聰明。
也許很小就開始學藝術和音樂，
對於自我認知有些幫助，
在這兩個領域裡
很容易接收到非常赤裸的打擊，
因為是不是天才這件事是一目瞭然的，
你的天分有多高，
一點都裝不出來。
有些人是老天爺賞飯吃，
有些人是老天爺在後面追著餵飯吃。
知道了「自己是有侷限的普通人」

是一件好事，
它讓我通透了一點，
很多我理解不了的事，可能就是我智商不夠，
就像微積分，它沒錯，但我不懂。

結婚後發現，
普普通通的我本人，
竟然比大家眼中的考試機器、人生勝利組老楊還有自信。
我不是覺得自己很強所以自信，
我是因為從小就常常輸，
所以很早就有很多機會練習如何調整心態，
知道了輸也就是那麼一回事，
慢慢就有了不怕輸的坦然。
這麼多年來不斷的在各種失敗中反覆自我懷疑與驗證，

就長出了清醒的自覺。
而自覺讓我有了不容易自卑的底氣。
正因為不可能有人比我更深刻的認知到自己的侷限和能力，
所以別人對我的羨慕或是貶低，
都改變不了我什麼。

也許發自內心的尊重別人，需要了解到自己的渺小，
不需要感同身受，也能給予理解，
理解不了，也能給予尊重，
給不了尊重，好歹不要苛責吧，別人可能有苦衷。
因為你想不到的事情很多。

唸設計所的時候，我學到一件事：
草稿發想時，畫完十個草稿後，先把前三個刪掉，

因為「你想得到的別人也想得到」，
很多人意識不到這件事，
所以才會對於別人的複雜處境拋出簡單的解答，
「把別人當白痴」的人很容易惹惱我，
你不需要學過藝術和音樂才能得知自己的侷限，
都多大的人了，你是不是天才自己心裡沒點數嗎？
你好為人師給出的指點，是一個別人都想不到的創新解法嗎？

接納自己的平凡並不是看輕自己，
相反的，正是這份自覺，讓我不容易自卑。
因為我太清楚自己是誰了，
所以讚美與詆毀控制不了我、
有沒有名氣定義不了我，
我知道自己的斤兩，敢愛敢恨敢上秤。

擁抱自己的平庸至少給了我呈現真實的勇氣與自嘲的自信。

我的任何記錄都不是為了炫耀或賣慘，

對我來說生活的真相就是有好有壞，

自自然然無需隱瞞。

一體兩面的光明那面，當然很美，

要只給別人看美的一面也無可厚非，

而真實呢，

它不需要美，真實它自有力度。

努力

努力不一定會有收穫
但是還是要努力

努力了才會知道
自己果然不是天才

03 好好表達

「表達」是一件不容易的事。
你心裡想的、
你表達出來的、
別人接收到的、
你以為別人接收到的，
可能是四件不同的事。

我們的文化中，
不是很在乎小孩的表達能力，
反倒有「多說多錯」、「囡仔有耳無嘴」
這種鼓勵越噤聲越好的態度。

剛來美國的第一年，暑假裡信箱收到一則
給小學生的補習班傳單，

補的是「演講」（speech）與「辯論」（debate），
我看著傳單，受到了文化衝擊，我從來沒有想過這個技能需要開課教小孩。
而事實證明，表達能力好的人，在生活中和職場中都非常吃香。
因為表達跟展現自己是息息相關的，
而展現自己，將會為自己爭取到更好的利益、得到更多的理解。

千萬不要忽視表達的力量，因為很多事，你表達不出來，它就不存在。
你想讓別人知道你是怎樣的人、你有怎樣的感受、你想被怎樣對待，都是靠表達。

「精準且高效的表達自己」是我一直以來很專注在琢磨的事，
一來我很懶，我希望第一次就能把話講得清清楚楚，
省得還得來回確認、或是之後衍生誤會更麻煩。
二來清晰的表達自己，是一件非常暢快的事。
在茫茫的詞海中，找到了能精準描述自己的詞彙，

表達出來時就像是兩個卡榫被完美對準那般，
讓詞彙能服務於自己的情感和思想，既紓壓又滿足。
人常常是在輸出表達的那一瞬間，才真正內化為自己的價值觀，
表達也不只是為了讓人理解或認同，表達本身就是一種探索、也是對自我的梳理。

我認為好的表達有幾個要素：言之有物、深入淺出、並且能將觀點與尊嚴脫鉤。

首先，在我眼裡，有趣的人並不一定要是搞笑幽默的，
我認為言之有物的人也非常有趣，而言之有物又跟高效表達緊緊相連。
歐陽修寫：「逸馬殺犬於道。」
只用六個字，清清楚楚交代了事件、地點、結局，完成了極高效的表達。

好的表達者，是需要知識儲備的。
你對事物的看法、對情緒的覺察、你的表達技巧是否容易被接收，都需要積累與閱歷。

有深刻的觀察、有足夠的詞彙，就能成為好的表達者。

有些人明明生活中充滿故事，
結果一聊起天卻只有「我很生氣」、「我很開心」，
有些人明明把生活過得有滋有味，
講起來只有「這個好玩」、「這個好吃」。
他們經歷的一切都比他們表達出來的深摯有趣得多，
他們不是不懂感受，是不懂表達。

其次，好的表達者，一定是向下兼容的。
要掉書袋很容易，要深入淺出很難。
而道理明白的越通透的人，越能找出各種方式解釋給不同理解能力的人聽懂。
真正想要好好傳達自己理念的人，
會把複雜的道理、艱澀的理論竭盡所能的講到老嫗能解，

因為一旦通俗化才有被更多人理解的可能。
而那些總將冷僻的專有名詞掛在嘴邊的，彷彿懂個晦澀的詞或看過哪份報導就是參透了宇宙的真理，他們其實也沒有要溝通，只是在賣弄。

好的表達者，會將觀點與尊嚴脫鉤。
因為坦率的表達自己，是需要有觀點碰撞的心理準備，然而觀點的碰撞，其實是珍貴的拓寬世界觀的機會。
將觀點與尊嚴脫鉤，就能在表達時內心是輕鬆的，不會把反對的意見當成對人格的否定，
萬一觀點有誤，那不正好逮到一個能改正的機會，
若觀點無誤，就試著自證，也是另一次訓練表達的機會。

鼓勵大家千萬不要羞於表達，
因為坦坦蕩蕩的直抒胸臆，就能換來真正的理解和力量。

04 別人詢問才給建議 是成年人的基本禮儀

是不是很多人在社會化的過程中，
沒有學會界線與分寸？
有些人在干涉別人私領域的時候，
你不理他，他還會說你不願意理性討論，
問題是，我的私事不用跟你理性討論啊！
我覺得你穿得很難看的時候，
也不會叫你回家換。
這就是界線。

也有人會對我說：
「我很喜歡妳，
但是我覺得妳應該要如何如何……」
這就更莫名了，
你喜歡我並沒有給你帶來任何權力好嗎，

你的動機再好，都不能當成踰矩的理由。
沒有你是為了我好就能失去禮貌這件事。
還有一些人，會在別人的日常中尋找他了解的領域，然後努力找碴，
好像深怕別人不知道他有專業似的，
成年人誰還沒有點專業？
營養師也能從你的美食照裡面告訴你，你攝取的營養不均衡、
整脊師也能從你的出遊影片裡面告訴你，你走路姿勢不對，
大家沒有這樣做，除了因為大部分人的專業是要錢的以外，
還有因為，這就是界線。

私以為長到一定的歲數，需要的不再是被喜歡，而是不要來惹我生氣。
了解到「跟你不一樣不等於我需要改」，這社會才能兼容並蓄。
想要理性討論別人的私事，這件事情就很不理性。
不信你去吃到飽的餐廳奉勸大家吃太飽傷身，

就可以順便在保安抬你出來時跟他說非洲有小孩肚子餓。

我很受不了「恕我直言」這句話，
你想要口無遮攔的講話，
請帶種一點，做好被討厭的準備。
不要奢求別人寬恕你的隨口冒犯，
不要自以為逆耳的話就是忠言。
難道我可以說恕我直拳嗎？
我打你，但你得原諒我？
再說了，很多言語上的攻擊比肢體的更暴力。

語氣緩和也不等於有禮貌。
不然我也可以說：
「請問可以麻煩您食屎嗎，非常感謝。」

「能不能有勞您對自身的智商進行一個評估的動作呢？」
很多話不管怎麼緩和，都不會改變它的冒犯。
成年人的基本禮儀是：別人詢問才給建議。
不要以為只要是善意就能指點別人。

思考並不是整理偏見，建議是別人需要才給。
沒有管好自己的自覺，請約束自己閉嘴。
別人的人生你在旁邊假會，這樣要怎麼共創和諧社會？

錶

我戴著一隻錶，我知道時間。
我戴著兩隻錶，我看了看它們，
忍不住跟別人再確認一遍。

還有一隻錶，它一天只會對兩次時間，
它並不是好運，它已經停了一年。

可惜它只是錶，
不然它可以宣稱自己有小聰明、
或是被誇大智若愚。

05 受害者不需完美

每當有一個受害者出現，
一定會出現四種冷血的旁觀者。

第一種人是對受害者進行
「有罪推定論」的「檢討受害者型」。
他們會說：
「你一定是做錯了什麼事才受害。」
這些人對受害者百般刁難，
對加害者無限共情。
他們跟加害者共情，並不是因為高尚，
只是沒害到他而已。

第二種人是「各打兩板的假中立型」。
他們會故作客觀的表示：

「事出必有因，一定兩邊都有問題。」
假中立在我看來是一種思想懶惰，
他們盯著受害者，就像是盯著一本理論艱深的書，終於看到有一個錯字，
就正氣凜然的如釋重負：
「啊！抓到了呢，道理是什麼不太清楚，但你果然有錯字吧。」
他們並不是想釐清什麼，他們只是要找到素材，為你所遭遇到的不公開脫，
這樣他們就能繼續為這個美好的世界感到放心。

喜歡檢討受害者和假中立的人，
都是希望受害者除了活該以外沒有別的原因，
以為所有的不幸都是因果報應，
從而幻想出任何意外都不會降臨在他們身上的安心，
且將人生的順遂歸功於自己。

第三種人是「息事寧人型」。

他們明明知道你已受害，卻希望你安安靜靜的處理就好。

彷彿你告訴了大家你受害，你就瞬間成為加害者一樣。

然而發聲是我們的言論自由，不需被以和為貴勒索。

從小到大我們常常被教育

做人處事要圓融、要給別人台階下、不要當面給別人難堪。

這些觀念沒錯，

但是大前提是：對方沒有傷害你。

如果不是的話，這些要求只是道德枷鎖。

有道德枷鎖的人更容易被欺負，

因為欺負你的人也很清楚，在大多數的情況下，你都會算了。

對我來說，一味的原諒，不僅不公平，而且是為壞人助興，

如果我的小孩被傷害了，我會盡一切資源和能力保護他，

而且我會怎麼保護小孩，就會怎麼保護自己。
很多人愛說：「你可以罵我，但不能罵我的親友。」
這句話我覺得非常詭異。
這只是在為自己樹立一個悲壯、愛家又義氣的人設吧，
事實上你保護不了自己，你也保護不了任何人。
息事到最後，根本分不清楚什麼時候應該反擊。

第四種人是「失去是非觀型」。
他們無法判斷受害者的真偽，
但是他們已經迫不及待的暴露自己的惡臭。
譬如說，一個女生說她被性騷擾，
即便這件事還沒有得到證實，
但是如果有人說「摸一下也沒什麼」，
就算最後整件事都改寫，但他們已經為性騷擾這件事叫好過了，

他們的低劣素質不會隨之消失，他們的惡意無法被抹去。
很多社會中隱祕的骯髒事，唯有受害者發聲才能被解決。
這不就是我們渴望的更好的世界嗎？
讓我們不要夸夸其談的為受害者指點江山、
不要要求受害者反抗時只能恰如其分，
很多時候我們能夠安全無恙，並不是因為我們比別人聰明勇敢，
我們只是比受害者幸運而已。

如果鼓起勇氣袒露傷口，不但得不到正義還換來的是群嘲與攻擊，
那誰還敢求助？
這些冷血的旁觀者在許多受害者眼裡不只是恫嚇，甚至是二度傷害。
希望我們都能放下心中對「完美受害者」的形象與執念，
不要成為冷血旁觀的加害者。

06 命運

隨著年歲增長，
有些心靈雞湯我慢慢喝不下了，
因為我漸漸的意識到，
心靈雞湯喝到最後，碗底寫著兩個字：
「命運」。
智商、資質、天賦、環境、機運，
才是人生拿來兜底的東西。
有可能一分耕耘、一分收穫，
也有可能十分耕耘、一分收穫，
也有可能不勞而獲。
但還是得耕耘看看，才知道自己是哪種，
不努力就不知道自己有沒有天分。
萬一有幸有天分，
就能一分耕耘一分收穫。

大家都知道努力很重要，
但是有點閱歷的人就了解，
通往成功的路途上，會迎來眾多的變因，
不是只有努力就夠的。

不要說成功了，就連過上穩定的小日子，
「努力」甚至都不是關鍵性的決定因素，
更多的是機運、是環境、是年輕時的選擇、
是父母的健康、是產業興衰與世代變遷。

以後應該多早告訴孩子這世界的不公平呢？
天上是會掉餡餅的，常常在掉，不一定掉給我們而已。
天上不只會掉餡餅，有時候也會掉磚頭。
你沒接到餡餅也沒關係，我們小心閃磚頭。

二〇二〇年的疫情，

讓我們小心翼翼的過了好長一段時間，戒慎恐懼，

同時也感受到能平凡度日，已是命運眷顧。

儘管命運不可能公平，

但其實人生的每一天，何嘗不都已是一場倖免於難，

讓我們為平平凡凡大聲喝采、為平平安安高呼萬歲。

07

社交自由

跟財富自由一樣奢侈的，是社交自由。

社交自由就是

「想不理誰就不理誰」的自由。

你可以合法的擁有伴侶、

合法的擁有小孩、

合法的擁有寵物，

但不能合法的擁有朋友，

這就是朋友可貴的地方。

這幾年的疫情讓我的社交圈改變了很多，

有些朋友，放一放越陳越香，

有些朋友，放一放就餿了。

疫情也讓我感受到人生苦短，

更加想要慎選人生旅程的旅伴，

因為不重視交友圈的質量、不注重相處的愉快與否，
本質上就是不尊重自己的時間。

朋友間的情感並不需要價值觀嚴絲密合，
我對於擁有完整人格和邏輯自洽的朋友，通常抱有最大限度的尊重與寬容，
能夠一起玩樂的就一起玩樂、能夠一起育兒的就一起育兒、
能夠一起談心的就一起談心。
局部的知己也是知己。
對於相處後發現不合拍的，我向來也是果斷切割，
畢竟人與人之間的差異就是這麼大，
有的人一開口我就知道他此生理解不了我，
篩選大於遷就。

好好擇友便能無懼的交出真心。

直抒胸臆能讓喜歡你的人，也是你喜歡的。
越不隱藏自己，越容易獲得快樂的社交狀態，
對喜歡的人大聲稱讚、對討厭的人大步遠離，
就可以心裡常常明媚清爽。

我當不了圓滑的人，但我可以當圓圓滑滑的球，從我討厭的人身邊滾走。
況且，能認清人總是好事。
體諒對方，前提是對方沒有傷害你，
不讓別人難堪，前提是別人沒有做低級的事，
高情商並不是壓抑自己，
有些話該說就說，有些臉該翻就翻，
不然情商再高也是養虎遺患，留一堆等著銃康你的人在身邊而已。

08 爲文學辯護

直到近年來，
我才有辦法梳理、
並為我從小那些被稱為「無用」的興趣
進行辯護。

我從小喜歡文學這件事並沒有被鼓勵，
我看了大量的文學作品，
但這些書都是大人們口中的「閒書」。
閱讀到達一定數量，就會有創作的慾望，
而喜歡寫作，
又是大人眼中另一個無用的興趣。

喜歡寫作有什麼用處？
我日子越過越有答案。

寫作是成本非常低的紓壓方式。
「把煩惱寫出來」是美國心理協會推薦的減壓方法（研究是說要連續寫六週），
這也是當初我創立粉專的原因，
在各種興趣一個一個被育兒剝奪後，
有天我在餵奶的時候想著：
「你可以得到我的身體，但你控制不了我的腦子！」
因為寫作的過程就是思考的過程，
就算你最後一個字都沒寫出來，
但是你在準備寫作時就已經開始整理思緒了，
有在思考總是好的，
社會一天到晚強調的「獨立思考」，總要有練習的方式吧，
而且寫作就是表達的一種，
表達並非為了獲得認同，
能夠精準的表達自己，本身就是一件很爽的事。

表達的越精準就越真實，
就像說自己七分鐘後會到的人，往往會比說自己五分鐘後到的人更快到。
還有一個個人原因是，像我這樣愛恨分明的人，
如果不能盡量有理有據的闡述，很容易看起來像在鬧脾氣。
底蘊這種東西在累積的時候是看不到的，
不一定要鼓勵小孩從事文學相關行業，
我無法否認文學的大環境目前仍然存在很多問題，
但是小孩喜歡文學時不要打壓和質疑他嘛，
不要露出喜歡這個以後沒出息的態度，
因為就算沒走上文學相關行業，
但寫作過程帶來的不斷思考與表達能力非常寶貴啊！

09 苦中作樂

我很擅長苦中作樂。
苦中作樂這件事我已經練習很多年了，
因為我人生中面對的許多艱難，
都不是牙一咬就能一下子撐過去的，
是那種逃不掉
且不知道要耗在這裡多久的處境，
讓我必須得想方設法的讓自己打起精神，
彷彿是防衛機制般，
我必須給自己一些精神上的嗎啡
讓我撐得下去，
那東西後來被大家稱為幽默。

無奈我爸媽希望培育出的，
是大家閨秀，而不是什麼搞笑的人，

所以嚴正禁止我開玩笑，後來放寬標準說只能開自己的玩笑，
故養成了我深諳自嘲之道，也算是苦中作樂的修煉開端。
譬如國中時期，有次有個女生在開心的大笑時，
被一個男生嘲笑她牙齦噴出來了好醜，女生當場漲紅了臉笑不出來。
當天回家後我對著鏡子一遍遍的練習如何不露牙齦笑，
但是發現我只要自然的大笑還是會露牙齦，
為了怕被嘲笑，
我就想到只要有人一提，我就馬上說我會表演「只露牙齦笑」跟「不露牙齦笑」，
幾次派上用場，都被誇說有才華。

我的鬥雞眼也是練得爐火純青，我要往上鬥或往下鬥都可以，
因為我眼距比較寬，只要被說長得像鯰魚時，
我就會鬥雞眼然後說：「這樣有沒有比較靠近？」
把別人笑你的東西變得好笑，一起笑就不會是嘲笑。

國中生的互相攻擊真的是沒下限，能在青春期心理健全的全身而退真的很不容易。
把自己的痛苦展示給別人看，是一件需要勇氣的事，
而把這件事做得更內化，就是把自己的痛苦變成笑話展示給別人看。
對我來說「笑看一切」就是一種自我治療，
在折磨你的事情裡，找出荒唐的點來小題大作，
專注在它的荒謬，會減輕整件事的窒息感，
跟朋友傾訴或抱怨時，也不會讓人感到那麼沉重。

只要能讓自己舒服一點，萬物皆可吐槽。
指導教授說：「妳這畫幼稚園的小孩都畫得出來。」
我：「有可能喔，如果他是天才的話。」
會讓你感到受傷的話語和行為，一定有不合理的地方，
找出它、揶揄它，也算是為自己平反。
不過我還是祝福大家能被世界與命運善待，不需要學會苦中作樂。

10 做個人吧

我總覺得「物競天擇，適者生存」這句話
像黑幫的口號，
三分道理，七分流氓味。

一旦覺得弱者的消亡都是「天擇」，
都是「不適」，
那最後並不會變成適者生存，
會變成惡者生存。
最會害人的活到最後，沒有受害者，
全是你弱你不適。

人類把獅子稱做萬獸之王，
認為獅子捕獵羚羊，就是弱肉強食，
強的是獅子。

但如果用「羚羊你跑那麼快是想活活餓死獅子啊？留一隻腳拐到給獅子們糊口吧！」
這個角度看，
羚羊也沒那麼弱了。
大自然裡，沒有絕對的弱者，
而人類社會裡有。

在我們人類之間，根本不適用物競天擇，
不然有過敏的人都是不適者啊。
這社會從來都是「人競人擇」，
而且人類比天然環境邪惡多了，在人擇下充滿了各種制度階級，
有人選擇用黑人當奴隸、選擇殺光猶太人、選擇用小孩來祭天、選擇壓迫女性。
這些可怕的人擇，讓人類花了多少時間和血淚慢慢改變，
只為了盡量讓世界變得更公平正義一點，
所以當人們又開始覺得社會上弱肉強食理所當然時，是不是一種倒退？

諾貝爾文學獎得主福克納，在得獎時說了一段話，
叫做〈人類的精神〉：
「人類之不朽是因為有心靈。有同情、犧牲及忍耐的精神。」
並且提到，
是「愛、榮譽感、同情心、自尊心及犧牲精神」這些屬於人類情感的真理，
讓作家們筆下有欲也有情、有勝利也有悲憫。
人性描述之可貴，在於描寫的是心靈，而不是強不強壯的身體。

物競天擇，但人類擁有物外之人性，
譬如說惻隱之心、譬如說為弱勢發聲、
譬如說把槍口抬高一釐米的良知、譬如與雞蛋站在一起面對石頭。
人性的光輝，絕對不是讓弱勢群體自生自滅，
而是讓這個社會可以互相扶持且多元到，
大家都是適者，大家都能生存。

11 愛情就是分享欲

我常常戲稱自己「擇偶技能點滿」，
但其實我知道「擇對偶」這件事，
非常靠運氣。
畢竟人是會變的，
隨著年紀、身分、境遇而改變
是非常自然的事，
要在物換星移過境千帆後，仍然適合彼此，
不是只有努力辦得到。

儘管我覺得自己中了擇偶樂透，
但不可否認，婚姻就是難。
我很常思考要怎麼樣在婚姻中更快樂，
想要當一個開心的妻子，
並且對要陪我一起老死的先生好一點。

每對伴侶經營關係的方式都不一樣，
對我來說，對彼此保有「分享欲」是很重要的，
甚至可以說，若我對一個人完全喪失了「分享欲」，就是沒有愛的那天。

願意互相分享自己的生活，前提是：對方願意聽。
他願意聽我分享，我就願意說，能討論，我就說得更起勁。

樂於傾聽這件事，有一個困難的地方，
就是老楊說的很多事，譬如工作和投資，我都聽不懂。
多年來我曾經天真的以為，多聽就聽得懂了，
沒想到很多事就跟鳥叫聲一樣，天天聽還是不知道什麼意思。
然而聽不懂還是要聽，
總之就是不能澆熄了對方分享的欲望。
我珍惜他想跟我分享的心意，同樣的他也會珍惜我樂意聆聽的心意。

「因為我喜歡你，所以我喜歡聽你說話，」
懂不懂都無所謂，我能看著你眉飛色舞、給出情緒安慰、表達情感支持，
完全狀況外的時候，我也能讓你知道我願意聽，你什麼都能跟我說，
不管是傾訴、討論、發洩、抱怨、閒聊，
我們是彼此的出口，這些相處都彌足珍貴。

我不認為維持婚姻的長久之道就是忍耐，
把人生花在忍耐上，也太虧了，
原本對我來說，「耐著性子聽著聽不懂的事情」是一件需要忍耐的事，
但後來想著：「這麼多年來你仍然願意跟我分享所有的事。」
心裡忍耐著的痛苦感，瞬間就消失了。

要無話不談，不要無話，不要不談。

擇偶

他說要為你摘星星，但是碗都不洗。
他說要為你擋子彈，但是不做早餐。
沒有行動的愛，就是唬爛。

12 廢話雞湯

「愛自己」這種絕對正確、
但是你一細想
它並沒有傳達任何信息的話，
在我心裡就是一個商人口號的廢話雞湯。
明明不要被情緒勒索、
會劃清界線、
狠下心不要為別人收爛攤子、
不要受委屈等等
也都是一種善待自己，
不知道為什麼搞得好像只有高消費行為
才叫愛自己。

也許是因為我常常被育兒生活搞得很狼狽，時不時就有人說我不愛自己。

老實說我一點都不覺得我不愛自己，
需要負責任時，本來就無法滿足全部的自我，
我愛自己的方式就是，賴床。
我家常常亂七八糟沒整理、我帶小孩帶到打瞌睡導致小孩闖禍，
那都是我因為愛自己、在多休息而產生的結果。
你花一萬塊買包是愛自己，
我花五千塊修繕費換睡眠也是愛自己。
我總是邋遢的素面朝天也是愛自己，
因為我想把化妝的時間拿來睡覺。
過著精緻生活的人覺得我不愛自己，
那是因為他們沒搞清楚一點：我在馬斯洛金字塔的最下層啊！
我連睡飽都成問題，
你在金字塔頂端那邊跟我說善待自己要去逛街、接睫毛、做指甲、喝下午茶，
真的是飽漢不知餓漢饑，你不知我有多睏。

在自己所處的角色上盡力，在這個前提下不讓自己受委屈，
對我來說就是愛自己。

另外一碗著名的廢話雞湯，叫做「做自己」。
什麼人會強調做自己？
有些人是因為沒自信、
有些人是知道他做自己的時候，會傷害到別人，
因此要為自己的行為安上一個他在「做自己」的口號。

對我來說所謂的「做自己」，不是「不為別人改變」，
我們活在群體社會，改變本來就是適應和生存的一部分，
我可以保持初心、也可以改變初心。
為什麼一定要保持初心？初心就是好的嗎？
我小時候的初心是想當柯南呢，我也沒有一直賴在小學不畢業啊。

可以莫忘初衷，但不一定要不改初衷，

畢竟想要不變或是改變，有時候是連自己都沒有刻意決定，

就自然而然、甚至是由不得你就發生的事。

若把「做自己」當成不改變的理由或是傷害人的免死金牌，

那真的不要做自己了，你做個人吧。

13 窮養後遺症

以前我爸常常對我講的話就是：
「能省則省」、
「需要用這麼好嗎？」、
「這都是錢」，
長大後，
被窮養的許多後遺症開始慢慢出現，
即便經濟並不窘迫，
也很難改變原生家庭的消費習慣。

譬如說為了撿便宜，
貴重電器捨不得買全新的，
買二手的一下就壞了還沒保固，
生活用品都習慣買最便宜的，
然而常常折騰到最後，

還是因為太難用而去買個品質好一點的來，
多花錢又白遭罪，總是省小錢花大錢。
為了算CP值，也讓我失去了消費的快樂。
我對便宜的東西充滿懷疑、對昂貴的東西又充滿憤怒，
我在消費價格偏高的東西的時候，
心裡都會想著：「就不要比平價的還差喔。」
然而帶著這樣的審視，我就很難擁有愉快的消費經驗。

「省」這件事，甚至成為了我的反射動作。
被窮養過的人，大部分都很耐餓，
畢竟對孩子來說，能省出來的消費，就是少吃。
有一陣子賊粒食量超大，每天早上要嗑三顆包子，
我下意識的就想：「一下子用了三顆包子，那我不吃了好了，省著點。」
直到肚子餓才覺得，不對啊，我到底為什麼要省這個？

我已經養成了不管需不需要省，都先省再說的習慣。

我知道最核心的問題，是我覺得，我不配。

我打從心底認為很多東西給我用很浪費，我累一點餓一點都沒關係。

我同時當著職業婦女與全職媽媽，

忙得不可開交，還是非常捨不得請打掃阿姨與保姆。

直到我發現，

這種失去時間和注意力的生活型態，

讓我被動的失去了很多人生的可能性。

而人生的可能性，是非常寶貴的東西。

我自己是學文學和藝術的，

我非常清楚，靈感是需要空白的時間等它出現的。

若是將瑣事塞滿生活，庸庸碌碌趕集般的過著每一天，
那將會耗損掉巨大的創作能量。

當初會有「德州媽媽沒有崩潰」這個粉專，
也是因為剛從加州搬過來，結束了那邊的畫室，
到了德州才安頓下來就碰上疫情，
而沒有工作的這段期間，因為生活苦悶就「閒」出了這個粉專，
若是我的生活重心仍然跟以前一樣放在工作，
我也不可能會有寫文章與創作哏圖的心思。
我人生的可能性，就是這樣被停擺的工作迸出來的。

也許唯有對「計算ＣＰ值」這件事鬆弛一點，
才能在投資自己時，
不會為「不知道會不會帶來獲利」而心生糾結，

我告訴自己，善待自己是不需要理由的，
而且對人生的可能性的探索與體驗，
只有得、沒有失。

消費者

這東西好貴　我感到生氣
這東西好便宜　我產生懷疑
沒有任何定價　能讓我安心

14 閱讀障礙診斷書

只要有表達，就會有誤會。
只要有觀點，就會有爭論。

然而很多時候你會發現，
容易誤會別人、發起爭論的人，
他們的憤怒來自於閱讀障礙。
閱讀障礙者通常會有的症狀為：
「閱讀不了語境」、
「惡意超譯」
與「找碴式文字獄」。

「語境」這種東西，它與文學造詣無關，
它需要的是社會化，
一個人難以理解複雜的表達，

可能和不夠社會化有關、也可能和閱讀數量有關。
如果只能直線的理解世界，
那麼將錯過許多幽默、隱喻、諷刺、深意和弦外之音，
甚至有時候一個人說了什麼不是重點，
重點是他沒說什麼。

有次我看到一則新聞報導：
一個幼教老師罵小孩智障，還說他為了月薪三萬不得不照顧社會敗類。
我在新聞下方留言：
「照顧小孩是不容易的事，希望能給幼教老師高一點的報酬、高一點的門檻。」
有人回：「所以妳覺得報酬不夠高就能這樣罵小孩嗎？」
當然不是啊。
閱讀不了語境的人應該是最讓我糾結的受眾，
因為他們的解讀直接是表達者的相反方向。

如果我今天說：「紅色是最美的顏色。」

有人回：「藍色才是最美的顏色。」

我可以接受這種觀點的碰撞。

但是有時當我說：「紅色是最美的顏色。」

甚至有人會說：「你怎麼可以說紅色醜？」

這種是他明明跟我同個想法，卻可能因為惡意解讀、閱讀障礙、因人廢言等等的因素而導致立場相同還能完全錯頻，將誤解進行到極致，我就得努力克制自己想解釋的慾望，在心中默念：

「放下助人情結，尊重他人命運。」

惡意超譯的人，則是讓我感覺到他們是一群氣鼓鼓的火柴，輕輕一滑過就起火。

譬如我說：「我喜歡喝奶茶。」

超譯魔人可以回：

「所以妳就是說其他飲料不好囉？」

「其他飲料有得罪妳嗎？」

「妳為什麼不試著去欣賞其他飲料？」

「妳喜歡奶茶有比較厲害嗎？」

「那是因為妳沒喝過難喝的奶茶，某種奶茶就很難喝。」

「只有我一個人覺得奶茶難喝嗎？」

「妳喜歡喝奶茶跟你的政治傾向有關嗎？」

「妳在歧視喝紅茶、綠茶的人嗎？」

「奶茶也不一定就好喝吧，要看它的甜度和溫度。」

「這幾天社會上發生了這些事，妳還有心情喝奶茶？」

這些超譯魔人的思路，彷彿是一條又細又窄的溜滑梯，給他一個P，就只能一路煞不住的滑向充滿惡意的Q。

最恐怖的是，他們都擺出一副清醒又有獨立思考的樣子。

這些人彷彿是希望我說出來的話是：

「我喜歡奶茶，就是字面上的意思，不代表其他飲料不好，我也沒有不喜歡其他飲料，也沒有貶低其他飲料的意思，我也沒有覺得喜歡奶茶有什麼了不起的，我也不是奶茶專家，只是單純個人喜好。」

一句冗長的廢話。

還有一群喜歡到處巡邏的衛兵，喜歡施行「找碴式文字獄」。

他甚至不跟你討論觀點，只會在你的單一字詞中間鑽牛角尖，純粹審查你的用詞。

譬如說有次我在文章裡寫到了「人妻」二字，就有人糾正我：「說妻子就好了，人妻這兩個字源於日本色情片。」

這種找碴可以無限上綱，

每個詞都要追本溯源的話，
「婦人」是掃地的女人，
「一決雌雄」的「雌」代表落敗，「雄」代表勝利，
但是現在使用這個詞的人，並不代表他不尊重女性。
或是別人說「這好屌」時，你腦中會浮現陽具的畫面嗎？
不要這樣放任思緒狂奔好嗎？
我一向覺得，在不要造成誤會這件事上，
敘述者的表達能力比閱聽者的接收能力更重要，
但是要直接斷章取義把別人的話曲解成最大的惡意，
心中得裝了多少恨啊。
而這種人，也不是我把文章多補充個幾句，就能拯救他充滿恨意的人生。

閱讀不了語境、將自己的偏見放到別人的觀點中、
帶著成見揣測、懷著惡意延伸別人並沒有說出的話、以為找碴就是有洞見，

這些人離思考非常遠。
不是不能容納多元的聲音，
而是當這些聲音是想讓人噤聲和不敢再表達時，
我們就要注意言論這個領地，是不是有人打造了龐大的監獄，
然而我們並不是犯人，
我們既不用害怕、也不用走進去。

你爲什麼不用腦

你為什麼不用腦
是不是誤以為
全新的比較保值？

金子會花光
腦子不用只會兩光

腦跟錢不一樣
不必省著用

15

關於興趣

你不一定要擅長你的興趣、
你的興趣也不需要能賺錢、
興趣的用處，
就是能讓你開心一點的度過一天。
這是我經歷了無數低潮後才體認到的事。

能夠有自己的興趣，
是讓在低谷徘徊的我，
留在人間或遁入無邊憂鬱的巨大差別。

一個人完整的自我建構，
一定是包含興趣的，
興趣能讓人獲得巨大的精神力量，
而這個精神力量，

能支撐你人生中會遇到的許多崩塌。
因為並不是每次崩塌都能夠幸運的有人接住你，
在更多黑暗的時候，
就是你和你的意志力一起撐過去。

最讓我解憂的興趣，是畫畫與游泳，
這兩個興趣都能讓我進入另一個彷彿時間靜止的世界，
能緩和我紊亂的思緒與焦躁。
生了小孩之後，這兩項興趣都被剝奪了，
無法丟著小孩去游泳、畫筆會被搶、
也沒有足夠的時間可以一氣呵成的畫完，
所以我就開始刺繡，
直到兒子開始搶我針，我就開始拉花，
總之藝術能透過各種形式讓我還保有一點點自我、

讓我從茶米油鹽餵奶換尿布中超脫片刻，
即便那一點點自我就跟拉花一樣，一秒就被喝掉。

不過擁有很多興趣，讓我剛成為母親時，剝奪感特別強，
孩子帶給我非常多快樂，
但帶小孩的初期，我真的很厭世，
這個厭世主要來源於，我有太多想做的事情被育兒延宕。
即便如此我仍然認為，不管被耽擱多久，我擁有的興趣不會白白培養。
小孩會長大有自己的人生、老伴能相伴到何時也要看命運，
只有興趣，它會陪我一輩子，
給我心理上的滿足並隨時排解我的孤寂感。

在任何關係中，成為一個「有事情做」的人是很重要的，
若把自己的生活重心完全寄託在他人身上，非常容易帶來壓力和窒息感。

有一個親密的愛好，也讓我對以後也許會孤老的可能，感到沒那麼害怕。

所以啊，培養興趣真的非常重要。

「學這個有什麼用？」

我期許自己別成為在孩子想學任何東西時這樣問他的大人，

因為也許那會是他幾十年後撐過人生低潮的出口呢。

16 關注他人的意義

我們身邊應該都有一些政治立場不同、
甚至理念相反的朋友或長輩，
但是你仍然喜歡他、敬重他吧？
我一向不會牴觸觀點跟我不一樣的人，
甚至有些接觸了以後
會發現他們是值得尊敬的，
因為他有可能是非常善良、
或是有學識涵養、品性很好的人。

不管在網路上還是現實生活中，
廣泛的關注不同的人事物，
是非常有意義的。
有不同價值觀的碰撞，
就能有更深刻的思辨以及清晰的判斷，

如果你同溫層太厚的話，你很難分辨自己是被洗腦還是在受教育。
在這個資訊爆炸的時代，大範圍的涉獵，
能讓你意識到自己的知識盲區、增加思考的延展性，
並且當你試著從不同立場出發時，理解能力會變得更寬闊，
若不走出同溫層，連世界都沒觀過，哪來的世界觀呢？

我的社群媒體追蹤了很多人，
追蹤一段時間後，會很自然的發現哪裡有跟我價值觀不同的地方，
這是正常不過的事，世界上任兩個人的價值觀都不可能百分之百重疊契合，
因為某一個程度上，每個人的價值觀都是用來佐證自己的經歷，
當我們在說「這人觀念很正確」時，其實是在說「這人觀念跟我一樣」。
所以即便別人的價值觀跟我不同，只要他能輸出觀點且邏輯自證，我仍然會關注他。
因為他們能夠為我提供新的思路、拓展我的認知、帶我看到不同的世界。
大量的觀察，能讓自己變得更加敏銳，

所有的思考和整理都能投入自身的生活成為養分和創作。
而且啊，眾生百態真的是很好看。
我們觀察的，是複雜有趣的人類，並不是神，
我們所吸收的資訊，是為了開闊自己的思想，不是為了得到簡單的結論。
在這個前提下，我們所景仰或是喜歡的人，只要了解夠深，一定會發現歧異，
也很有可能會出現讓你失望的地方。
這時候請回想一下自己當初為何關注他？
不就是能從他身上汲取自己沒有的養分嗎？
如果一看到別人不符合你期望就憤怒的大聲嚷嚷，
那只是呈現了自己的狹隘與戾氣。
我想看的就是眾生，有時活脫脫、有時難免血淋淋，
然而有好有壞才是真實的人生，真實的人生才動人。

人生就像一盒巧克力

你說，
人生就像一盒巧克力，
你永遠不知道下一塊會是什麼味道。
我說，
你為什麼不看一下說明書。

請接受教育，
自己要吃的巧克力就能自己決定。

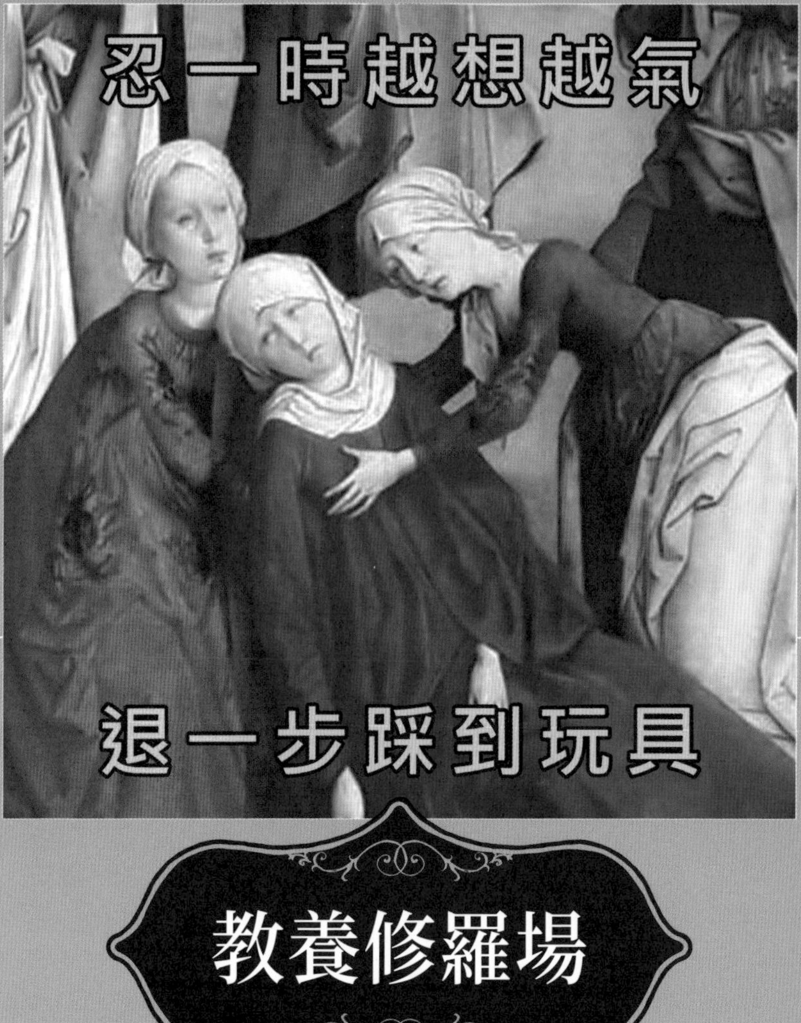

教養修羅場

第2章

01

人生
怎樣才算完整

當一個人真的覺得養小孩很有樂趣，
由衷的對你說出「生個小孩也很好」時，
並沒有什麼問題，
你甚至感覺不到壓力。
而且看到真正愛小孩的人與孩子相處，
有時候還會自然產生催生的渲染力。

反倒是說出「不生小孩人生不完整」的人，
你看不出他愛小孩的情感表露，
他們催生根本與小孩無關，
他們只是在拿自己認為生小孩的必要性和
傳宗接代的觀念來綁架你而已。

要認為「生了小孩家庭才算是完整」

當然是個人自由，
但請不要把這種自行定義的殘缺感加在別人身上。

像少年得痔的我，就覺得一個家要有免治馬桶才完整，
但是我去沒有免治馬桶的朋友家作客，也不會說你這個家不完整。
因為以為自己的需求就是別人的需求，別人沒有就是缺陷，是一種霸道。

所以朋友們，希望你們在被催婚的時候，可以自信的說出：
「我的人生已經很完整了，我不需要靠結婚生子來變完整。」
面對那些拿傳宗接代來施壓的長輩，
可以告訴他們：
「也許你的人生目的是傳宗接代，但我的不是，
我想吃吃喝喝耍耍廢，想睡就睡環遊世界。」
說不定你會不小心看到他們流出一滴渴望自由的淚。

或是也可以認真一點的回：

「我們先一起塑造一個讓人想生小孩和敢生小孩的環境吧，

從不要逼別人生開始。」

女性不是非得一到年紀就必須接受莫名其妙的人對自己子宮的惦記，

女人沒有成為母親也很棒，

卵子不成為受精卵也無妨，

鼓勵不想生小孩的女性能夠勇敢的表達：

「我的肚子不會有動靜的，我的子宮就是用來裝月經的，

謝謝各位關心。」

02 反擊之必要

很多人說，反擊酸民是浪費時間。
我覺得不是的。
甚至在日常生活中，對任何人事的反擊，
都是有意義的。

我當然知道很多人已無教化可能，
然而我仍然要反擊，有很多原因。

第一是，
我沒受傷不代表暴力不存在。
每次的反擊，是在表述我遭受到的事。
譬如我不斷的回應教養魔人，
也是想傳達這個「親職單一標準化」的環
境是沒有消失的。
其實說親職都客氣了，

我感受到的是「母職單標化」，
甚至不是「高標」，就是「單標」，
就是用我根本不想成為的單一標準在衡量我。

第二是，
反擊這件事，是很重要的自我表態。
身處在人類社會中，得慢慢習得如何保護自己。
我在傳達：
「我並沒有要隨便你們罵喔，
你們試圖攻擊的並不是軟柿子，而是迴力鏢。
請你們欺負別人時，做好你會有不被原諒的心理準備。」

我也知道有一種人他只是要吸引你的注意，
只要我理他，他會直接宣布他贏了。

沒關係，
這些草船借來的箭都是我的創作養分。

第三是，
言論是一塊領地，我不占就有其他聲音去占。
我就是要反覆的說媽媽優不優雅都可以、
生不生小孩都沒關係、
不要管別人怎麼教小孩，這不是人情味。

最後最重要的是，
我反擊因為我開心。

酸民在我眼裡就是喪屍，
他們一直在到處遊蕩、尋找可以群起攻之的機會，

而我是獵人，
力氣充足時，我就提起槍去打獵。
一個健康的社會，應該是獵人追著喪屍打，而不是相反。

侵門踏戶之人

他來對你家指指點點，
可能是吃飽撐著幫自己找點事情。
他來對你家指指點點並且吐了一地，
那應該就是吃錯了什麼東西。

他來你家檢視你是不是一切都做得完美，
可能是他精神太好的關係。
他來你家覺得你做得不夠完美
並大吼著請跟他學習，
那他應該是精神出了點問題。

03 教養不是功過相抵

我有時想著，
暴力的ＤＮＡ，
至少據我所知就已經傳了三代到我這了，
而我的確從小就暴躁力氣大，
我常常有些戒慎恐懼，
彷彿我體內有極大的可能住著浩克，
會在我一鬆懈對小孩的情緒管理時，
就衝出來傷害了他們。

在育兒這條路上，
我沒有榜樣，
只有借鏡。
我知道
如果想不重複上一代的教養模式，

需要付出更多心力控制自己。
我寫了這麼多不要羞辱小孩和不要以大欺小暴力對待孩子的文章，
常常也是在提醒自己，
因為我很清楚，
父母的行為是無法功過相抵的，
你呼我一巴掌，再給其他甜頭，
我們並沒有扯平。

更何況，
往往不會只有一個巴掌，是幾年來的巴掌，
也不會只有身體的傷害，一定也伴隨著言語羞辱和精神折磨。

若只發生了一次，也不至於心寒。
那種心寒就像是，

你有沒有把我打死已經不重要了、
那把隱形的槍裡有沒有子彈已經不重要了，
因為我看到你扣板機的動作了。

常常有人問我要怎麼不重蹈覆轍上一代的傷害，
老實說我沒有很有信心，
但也正是這份擔憂讓我很警醒、
讓我對教育小孩的方式有更多的琢磨和思考、
對情緒的控管有覺察和自省。

小孩做錯事絕對會有需要責罵的時候，
父母當然可以生氣，
但我想要極力避免「失控」，
不是不管教，是要理性管教，

我自己定義的情緒失控，
是我當下已經「不是因為愛他或是教導他而罵他，單純是我控制不住脾氣。」
在非理性的失控狀態，我甚至回想不起來我咆哮了什麼，
我只記得小孩被我嚇傻的害怕表情。
我想孩子一定也是一樣，一樣只會記得父母那刻的猙獰。

我想了一下，
覺得「控制不住脾氣」這件事是假議題，
因為今天如果有人拿槍抵著你的頭，不准你暴怒大吼，
我想大家都是辦得到的。
沒有控制不住，是決定不控制，是覺得不控制也不會怎麼樣。
我嘗試了很多方式來避免自己失控，
我給自己設計出最簡易有效的防暴方式就是：「數六秒、退六步」。

就是數完六秒再罵、退後六步再罵。

數六秒是因為，
據統計，人類情緒的憤怒巔峰只會維持六秒，
六秒的緩衝不是讓你不生氣，是讓你不失控。
而退六步是因為，
研究表明長時間對孩子吼叫，會傷害孩子的智商和語言能力，
且高分貝會造成孩子的聽覺細胞死亡，
退幾步也不是不讓你罵小孩，
是讓你在糾正小孩的時候，不要加上情緒的傷害。

當父母真的好難，
又要想辦法教小孩、又要想辦法教自己，
果然育兒是場修行。

得不到的獎品

我爸要我考全班前三，
我媽要我人見人愛。

我說，
做到的話可以要獎品嗎？
我想要得到全班前三有錢的家長，
前三溫柔的也可以。

他們說都不行。

04

父母的魔戒

父母其實是對小孩握有生殺大權的。
原因沒別的，
大人力氣大。
體罰這個權力，我把它視為魔戒，
戒慎恐懼，能不碰就不碰。

「小孩不聽話」，
有可能是大人沒耐心、
也可能是大人表達能力太差
沒能清楚的把道理講明白，
況且打小孩不等於教小孩，
不是沒有打就等於沒有教。

你打小孩，小孩唯一肯定會學到的事，
就是當爸媽可以打人。

身為一個從小被打到大的人，我太清楚體罰是一個惡循環。
受虐兒通常不是在第一次被打時就渾身是傷，
施暴者也不是在第一次動手時就殺紅眼般發狠的，
而是在使用暴力的過程中，他們會嚐到甜頭。
發現有效、快速、省事、能發洩、還能讓自己感覺握有大權高高在上，
整個家都服在你的拳頭下。

行使暴力是會上癮的。
打人的一次比一次更狠，
被打的一次比一次不怕（或者說已有被這樣對待的心理準備與習慣），
打人的絕對會產生「要把你打到怕為止」的心態，
一個恐怖循環就此產生。
小孩不斷免疫、你不斷加大力度，
很容易把自己領到一個是不是暴力都意識不到的地方。

要想像自己能懲奸除惡不是用在小孩身上。
時間可以撫平很多東西，但是小時候受過的屈辱並不會忘記。
幾天前有朋友問：「妳曾經想過自殺嗎？」
我回：「我以為所有人都有想過。」
特別是青春期的時候，被錯待卻無能為力的時候。

看到一則新聞，有個國中生被母親當同學的面呼了幾個巴掌，然後他當場跳樓身亡。
也許很多人會想說，這個小孩也太不懂事了，也不想想父母生你養你的恩情。
但是在心痛和覺得他好傻的同時，我也能理解他心裡生出的恨，
那種覺得自己不被當人對待的恨，
他要用自己的命來讓父母知道他們根本不配擁有一個孩子。
我很嚴肅的跟先生約定，絕對不能打小孩巴掌，
如果我也成為不把孩子當人看的大人，我對不起小時候的自己。
我永遠無法幫助當時那個被錯待的自己了，

至少我想讓我的孩子，沒有想過自殺這件事。
有一次賊粒在我面前轉圈圈，他說：
「Mama, look at me, I'm a mercury, I'm the smallest planet and closest to the sun.」
（媽媽妳看我，我是水星，我是最小的行星而且靠太陽最近。）
把我當成太陽的兒子，眼睛裡閃閃發光。

我想過幾年後，
我可能連孩子們的課本都無法全看懂，
也沒有太多事情是小孩只能從我身上學到的，
但是我能夠給他們的，被愛、被尊重，是良好心理素質的根本。
而良好的心理素質勝過一切。

05

別人行，你可以不行

沒有「別人行你也行」這種事。

我從小就清楚的知道，
每個人在不同領域的天賦，
往往有非常巨大的差異。

一直以來我對於文科和理科的領悟力
簡直天差地遠，
我年年都當國文小老師，
但我生物常常不及格，生物考不好，
我不只不擺爛，我還花更多時間讀，
因為事實上我不但喜歡各種生物、
我也很喜歡生物老師，
但我至今仍然沒有開竅，
我就是，資質有限能力不足。

奇怪的是，

已經出過社會、甚至是被社會毒打過的父母，

他們會不知道命運與天賦造就出發展不同的個體？

他們會不知道生活裡充斥的壓迫與無奈，使人無法齊頭式平等？

為什麼會有「別人可以，你為什麼不行？」這種完全抹煞個體差異的話？

「抹煞個體差異」這件事，從小到大，非常頻繁的發生在我們的生活裡。

「為什麼別人都學得會，你學不會？」、

「你們班同學那麼多，為什麼只有你被排擠？」、

「其他媽媽都能親餵，為什麼妳不行？」、

「辦公室的人那麼多，為什麼老闆只針對你？」、

「為什麼他不去騷擾別人只有騷擾你？」

有點同理心的人，

會試著以最大的善意去體諒別人有沒有難處，
而不是看到別人受苦時，落井下石的拋下一句
「可憐之人必有可恨之處」。
我們既然吃過這種「抹煞個體差異」的苦，
就應該停止這樣對待下一代。

更何況，
小孩有沒有天賦，跟你的基因有關。
小孩有沒有興趣，跟你提供的環境有沒有啟發性有關。
小孩能不能被栽培，跟你給的資源有關。
小孩逼不動你就多從自己身上找原因，
有沒有逼錯方向？
有沒有考量到他的個性和天分？
別人都可以，你的小孩卻不行，
是不是也有可能是你有問題？

醜小鴨

醜小鴨變成天鵝
因為他爸媽就是天鵝
所以說
要怎麼收穫
先怎麼投胎

06

快樂的父母

王爾德說：
「使孩子品行好的最好方法，
就是使他們愉快。」
然而不愉快的父母，
很難有愉快的孩子。

我們的教育很常強調吃苦，
「吃得苦中苦，方為人上人」、
「先苦後樂」、
「苦盡甘來」，
好像一切好的東西，
都要靠先吃苦才能得到。
彷彿我們吝嗇給孩子們無拘無束的快樂童年，都是為了他們好。

對小孩來說，
父母的樣子，就是他們最初對於長大後的想望，
當我們在說這些「要吃苦」的話時，
我們看看自己，是吃完苦的人上人了嗎？後樂了嗎？甘來了嗎？
這也就是為什麼我覺得為了家庭犧牲奉獻非常偉大，
但比起一個偉大的媽媽，我更想當一個快樂的媽媽。
因為我想給孩子一個活著是快樂的盼望。

當一個媽媽開始被龐大的犧牲感占據，她就很難成為一個快樂的媽媽，
因為她對孩子的態度很容易變成：
「媽媽為你犧牲了這麼多，你不要辜負我的培養。」、
「媽媽為了成就你們，失去了原本的一切，
不然媽媽本來是一個如何如何的人、可以有如何如何的成就。」

這些話在孩子的耳裡，
就好像自己是那個讓媽媽不快樂的罪魁禍首、
他的存在帶給家人痛苦與犧牲，
這樣你要他怎麼快樂得起來呢？
而且這樣的模式給了小孩一個什麼樣的概念？
我現在這麼辛苦的長大，
長大後的結果，是變得跟爸媽一樣繼續辛苦的奉獻？
這個辛苦有到頭的時候嗎？
這個辛苦有意義嗎？

人為什麼活著？
人生的價值是什麼？
這種大哉問可能每個人的答案都不一樣。
但我覺得所謂的幸福，指的是情緒價值，

簡單來說就是快樂。

自我實現的快樂、付出的快樂、分享的快樂、享受的快樂、
被愛的快樂、被需要的快樂，
每個人都不一樣，
但最後都是為了正向的情緒價值。

我們現在的物質環境普遍沒有那麼匱乏，
幾代下來的努力，我們已經從努力的生存，變成希望能快樂的生活，
既然如此，
我們就要給小孩做一個榜樣，
當一個快樂的大人。

「親愛的孩子，長大後，你會得到幸福，就跟爸爸媽媽一樣。」

我不化作春泥、我不化作階梯，
我就做一個媽媽，保有自我、保有尊嚴的快樂媽媽，
在你小的時候當你榜樣，
等你長大之後與你並行。

累

你問我為什麼每天以累洗面，
你問我為什麼又梨花帶累，
我看著調皮的兒子，
累眼汪汪的看著你說：
男兒有累。

07 我討厭激將法

我討厭激將法。
對我進行激將法的人，
在我心中會被大打折扣，
我只會有
「你為什麼要這樣對我說話」的感覺，
而不會想說「我一定要證明給你看」，
自以為貶損人是在幫人，
那我揍你一拳是不是也幫你提神。

多年前我問老楊：
「你覺得我要開一個粉專
還是要經營一個賣場賣作品？」
老楊回說：「我覺得妳做什麼都會成功。」
我忍不住笑出來，

是被他這種習慣性的給我打雞血和對我的盲目自信逗笑的，
但我也知道就算我自始至終都當一灘爛泥，在他眼裡我仍然才華洋溢，
無論我如何選擇，他都不會投給我一絲失望的眼神，
是他不管怎樣都堅定的把我視為珍寶而讓我變得更好，才不是什麼激將法。

我也同樣討厭「孩子表現好的時候不能讓他太得意，得打壓一下」的這種行徑，
把討好的額度都留給同事老闆，對孩子的誇獎卻那麼吝嗇，
讓孩子想要被表揚好像是奢求一樣，
這樣建立起來嗑嗑巴巴的自信根本和謙虛是兩回事。

在我家鞋櫃旁，有一個白板留著前屋主沒擦掉的字：
You are going to be an outstanding success.
Nothing can stop you.
（沒有任何事能阻擋你取得巨大成功。）

他們的窗戶上還貼著蘇斯博士（Dr. Seuss）寫的：

You're off to Great Places!

Today is your day!

Your mountain is waiting.

So get on your way!

（美好正在前方等著你，出發吧！今天就是你的日子！）

當初我們進到這間屋子時，就能感受得到這家人在這裡過得樂觀又幸福。

這些話也許在很多人眼中都說得太滿了，其實我看到時也是帶著一點點文化衝擊，

但是我心裡還是有一塊渴望被如此鼓舞的地方深受撼動，

看到別人那麼興高采烈的面對人生，

想著如果孩子們也能歡欣鼓舞的迎接日子、擁有的一切心理暗示都如此正面，

那真棒。

08 後果

每次只要我在粉專上
放上神獸兄妹搗亂的照片，
一定會有人問我怎麼處罰他們，
彷彿不處罰就是沒有在教小孩一樣。

我自己是在一罪一罰的環境下長大的，
不管是不是不小心的，都會被處罰挨罵，
我只要弄壞東西或是考不好，
就會提心吊膽一整天，
想著該怎麼啟齒、等著回家被罵。
害怕挨打挨罵、
想要能藏多久就藏多久的心情，
是我長出心事的開始，
小時候總覺得等著我長大的，

是無止境的教訓。

這種算帳的模式一直跟著我，
導致我也成為一個愛抓戰犯的人，
直到遇到老楊，我才知道做錯事會被包容是多幸福的事。
我這個無敵破壞王，
弄碎兩把他心愛的陶瓷刀、半年內摔破三次手機螢幕，
各種令人懊惱的意外、各種噴錢，多年來老楊沒有唸過我一句。
甚至有次我把車子開進車庫，撞斷了後照鏡，一秒噴掉上千美金，
老楊不但沒怪我，
還默默的找了三間裝潢公司來家裡估價，要把車庫中間的柱子打掉。
（老婆智力有限，處理車庫比較實際的概念。）
世界上有人如此堅定的偏愛著我，是我人生中感到最幸福的事。
我的孩子們當然也享有我們堅定的偏愛與包容。

有人說不讓小孩知道做錯事的後果，以後等著上社會新聞。
然而那些心狠手辣的殺人犯，大多是出自嚴格的家庭還是包容的家庭？是心中充滿愛意的人會犯罪，還是充滿恨意的人呢？

我總覺得真正溫柔的人，是被溫柔的對待過的，
我不認為給小孩太多愛，他就會被寵壞去作奸犯科。
沒有處罰不等於沒有教，處罰也不等於有教。
老楊給我的包容，只有讓我願意以身相許而已，
並不會讓我想說我要盡情的破壞東西好嗎。
這世界處處充滿著後果，但是正因為世界殘忍，
我願意為我孩子提供一個毫無恐懼的地方。

有一次賊粒一上車就跟我說他今天在學校的院子裡看到蛇，
我們聊了一陣子那條蛇是什麼顏色、賊粒模仿了蛇怎麼動、老師怎麼處理等等。

回家後他拿起司餅乾在地上拼了一條蛇，興沖沖的叫我去看。
我看到一排餅乾在地上，在心裡「吼！」了一秒，
馬上看到賊粒眼睛裡的光和想與我分享作品的開心，
真的是沒什麼好罵的，根本也罵不下去，
頂多跟他說以後拼在桌上就好。
（有人留言說小孩不能玩食物。大人用鬆餅做畫、做不能吃的蛋糕裝飾會被讚許，
小孩用餅乾拼東西就不行？這是雙標吧。）
我很珍惜賊粒常常眼睛亮晶晶的跟我分享大人看似是搗蛋的成果，
代表他不是故意要惹我生氣、也不需小心翼翼怕被罵。

熱衷於處罰小孩的人，
不知道他們認為創意跟親密挨得起多少次打罵，
也許孩子願意跟他們分享一切對他們來說不重要，
但對我來說這才是我不想承受的後果。

我少了一隻襪子

我少了一隻襪子，我找了半天。
我少了一雙襪子，我根本不會發現。

還以為失去得夠多，我就能視而不見，
突然間，
吃了太多襪子的洗衣機，
轟隆轟隆，跟著報廢。

09 創意和紀律

身為一個畫畫老師，
我多年來最常被問到的就是：「請問我（或我的小孩）到底有沒有天分？」
我每次一定都真誠的回答：「有。」
因為畫畫會用到非常多的技能：
觀察力好的，
可以畫出很寫實和逼真的畫、
展現精緻的細節。
空間概念好的，
可以畫出精準的透視和空間感。
抽象概念好的，
可以光憑在腦中模擬，
就搭配出最佳的方案。
對顏色敏銳的，

能使用豐富的色彩，
人的視網膜可以辨識兩千種顏色，但一般人頂多看到兩百種就了不起了。
大部分的人，至少都會有一個可以運用到藝術方面的天分，
但是不是每個人都有的、最稀有也珍貴的天分，是創意。

我教畫這些年，深知技術可以傳授，但美感和創意只能啟發。
我對小孩的放養，有很大的原因，就是明白規矩多了創意會受限，
要啟發創意比學習遵守紀律難多了。
這種養法本來就要有容忍混亂的代價，
但是其實每種養法都有代價，
自己權衡而已，想養出怎樣的小孩自己決定就好。
而且規矩和紀律，是人定的，
是會隨著年代、國家、大環境和個人的價值觀而改變的，
所以沒有必要拿自家的規矩來要求別人。

而且，
學校裡的很多紀律，是為了方便管理，不見得是讓小孩成為更好的人。

我小孩的破壞力非常驚人，
有很大的原因是，我沒有特別設限他們什麼東西只能怎樣玩，
很多東西他們都想知道裡面的構造，連尿布都被他們拆開過，吸水晶體撒了滿地，
這些我都當成啟發創意與好奇心的學費。
而且那些長大自然就不會做了的搗蛋，對我來說沒什麼，
除了心甘情願的我以外，他們沒有打擾到別人。
因此當有人說我小孩沒規矩，我並不會感到冒犯，
因為我的小孩根本不需要遵守他腦中覺得正確的規矩，
大家就各自培養小孩自己認為重要的事情即可。
來叫我要教小孩紀律的人，
你們才連不要管別人家事的自律都沒有，誰要跟你學紀律啊！不要鬧了。

10

眼裡有光，身後有依靠

你小時候欺負過人嗎？
我必須羞愧的承認，我有。

我特別對於某種特質抱有極大的敵意，
就是那種集萬千寵愛、恃寵而驕的人。
看到他們理直氣壯、
充滿自信又天真的樣子，
我就想去打擊他、排擠他。

這件事直到長大後我才有所反思，
其實我就是太忌妒了。
我被其他小孩的天真樣子刺痛了，
那股眼裡有光、身後有依靠的氣質，
讓我羨慕到心酸。

沒有被打擊過的眼神是那麼的不諳世事的清澈，
我直到現在還是可以很輕易的分辨出一個人有沒有受過苦，他的人生大致上順不順遂。

像我這種被打壓慣了的孩子，我得合理化自身的經驗，
我告訴自己：被打壓才是成長為人的必要條件，人就是需要被打壓才會茁壯，
我欺負他們是在讓他們變強，不然我這麼強韌不就是因為我滿身瘡痍嗎？

現在回想起自己當時的敵意，感覺到很抱歉。
我也是在經歷許多事後不斷成長，才擺脫這種「感激傷害」的謬論。

一個受到打壓的孩子，要長出跟父母不同的價值觀是很困難的。
甚至都不需要父母直接說出「我這樣做是為你好」，
小孩自己也會這樣自我解釋，因為這是避免自己心理受到更大傷害的說詞。
華人特別喜歡拿「小孩不能寵」來規範父母，

也有「跟孩子當朋友以後就教不動」的論調，
然而「一寵就會壞」是一個架空假設，
寵愛孩子又不代表不教育。

沒有讓小孩感到寵愛的愛算是什麼愛？

我只要一提倡不要打小孩，
就會出現「讓小孩過得無憂無慮太安逸，以後沒有抗壓能力，面對不了現實。」這類型的評論。

但是變得殘忍的人，往往是那些小時候沒有被無條件包容過，所以長大不會愛的人，
是不懂愛的人，推進了世界的殘酷。

我的小孩，有權利天真，有權利不知道社會險惡，

天真一定會消逝，但我想讓它消逝的慢一點。
對於小孩，不需要任何理由也應該被保護。

在我的理想世界中，
世界應該無條件的讓孩子們快樂。
他們眼裡多點光，性格就能更敞亮，
他們身後有依靠，就能少點徬徨。

我們保護孩子們的天真，也是讓孩子們正常長大的一部分。

感染力

你侃侃而談
你滔滔不絕
你口沫橫飛
你實在太有感染力了
大家被你感染的不要不要的
生氣的對你說
請戴口罩

11 尊重不是慕強

看一個人跟小孩相處，
就能知道他有沒有尊重人的品質。
你會不會因為孩子懂得沒你多、
力氣沒你大、
外在條件不如你，
就不把他當成一個人來尊重呢？

如果你教小孩的時候
忍不住對他大吼大叫講氣話，
那麼你對你公司的同事和老闆敢這樣嗎？
如果你面對他們的時候可以忍住，
為什麼面對小孩的時候忍不住？
所以不是控制不住脾氣，
是在面對弱小時，不去控制。

我不喜歡不尊重小孩的人，特別是不尊重自己小孩的人，
很多父母對小孩的一言一行都是一副把自己封王的樣子，
彷彿當了父母之後就突然登基了，
生了個小孩就平白無故高人一等，
從一個蠅營狗苟的人，變成一個有絕對權威的人。
他們往往誤以為，別人對他恐懼，就代表別人尊重他。

「成為一個值得尊重的人」是自我要求，
「懂得尊重人」則是修養，
如果只尊重比你強的人，這並不是尊重，這是慕強。

尊重一個人，並不需要有前提，
若你只有面對更優秀、更強大的人才給予尊重，
那請試著邏輯自洽一下，按照這個思路，

是不是全世界比你更優秀、比你更強大的人，都可以不尊重你？
在慕強的人眼裡，根本就沒有平等。
慕強的價值觀，就是凌弱。

你如果對小孩沒有尊重，
你不但在傳達一個以大可以欺小、仗勢可以欺人的價值觀，
你也不可能跟你的孩子開啟平等的溝通。
而不尊重人的人，也得不到尊重。

12

結婚生子不是發展下線

有個朋友說，
她不結婚也不生小孩，
因為她不想成為跟她爸媽一樣的父母，
也不想生到跟自己一樣的孩子。
我聽了很心疼。

一直以來我對於
「是不是每個人都適合當父母」
是心存懷疑的。
當父母這件事，
幾乎無門檻、不受監督、一切自由心證。
儘管大家都是第一次當父母，
但有一個很大的問題是：
很多人根本沒有想要學習怎麼當。

你無法強迫一個覺得自己正確無比的人去改變，
然而當父母這麼困難的事情，很多人卻覺得小孩出生後自己自然就會。

許多對小孩言行暴力的長輩們，會用「那個時代大家都這樣」來開脫，
然而「人道」是怎麼來的？
是人類天生就知道溫柔是什麼、殘忍是什麼。

生而為人，
本能就會意識到哪些教育方式是人性的、是良善的，
既然意識得到，
就能學習、就能克制。

意識不到的人，不要生小孩好不好？
我們已經不是農業社會需要靠生小孩來添加勞力過活了，
真的想要小孩，
有愛人的能力，再生吧。

我常常戲稱自己為「反催生盟主」，
我反的並不是生小孩，
我反的是催生這件事。
我收到過無數私訊問我：「我不喜歡自己的小孩該怎麼辦？」
我真的不知道怎麼辦，
我想催生的人可能沒有想過，「生了就會愛了」這種保證是會害到人的。

催生跟催婚都太莫名了，
結婚生子還過得幸福美滿，是需要運氣的。
你運氣好不代表別人也會運氣好，
再說了，
結婚生子又不是發展下線，不需要一個拉一個吧。

13 愛的方式才是一切

愛並不稀缺，愛的方式才是一切。
常常聽到許多父母對於自己失職的開脫之詞是：
「我不是不愛小孩，
只是不懂得愛的方式。」
什麼時候「不懂」可以當成免死金牌了？
你知道你不懂，那你就要去學啊，
不然是指望別人剛好猜對你的心思嗎？

還有很多父母會說小孩：
「好話壞話不會聽。」
這就奇怪了，
你為什麼不要求自己好好說話呢？
請不要說了難聽的話，

再怪別人沒有從中消化出裡面良善的意思。
真正的愛是藏不住的，
你喜歡點什麼口味的飲料，店員知道，
你喜歡慢跑，鄰居知道。
然而你的家人卻感覺不到你對他們的喜愛，
這是多麼哀傷的事。

供給愛和供給食物，
在養育小孩的過程中是一樣重要的，
這些都是身而為人的基本需求。
而且父母的供給，對小孩來說是有時效性的，
孩子們不會永遠需要父母的庇護與陪伴，
所以有些東西，得抓住時間在小孩最需要的時候給他們，
在他們依賴我們時好好建立他們的安全感。

父母對孩子的照顧與抽離，是一場艱鉅的修行。
在孩子童年時，用寬廣的愛滋潤他，
在孩子成年時，鬆手讓他去闖蕩。

親子關係不是枷鎖、也不是含有窒息感的占有，
偉大和犧牲都不是親子關係中的必要條件，
感受到愛才是。

蛋白

孩子說　媽媽陪我玩
你說　去找你爸
孩子說　爸爸陪我玩
你說　去找你媽

孩子又不是蛋白
不要隨便打發他

14

寫給不知道要不要生小孩的人

不是每個人都適合當父母。

當父母這件事，
當然沒有人天生就會，
但，有人不會也不學。
如果你正在迷惘，
不知道自己適不適合當父母，
我提供一個判斷方式：
你可以從「你當父母會不會快樂」和
「當你的小孩會不會快樂」
這兩點來推敲。

如果是平常就會反省自己和
想要一直改進的人，

建議生，當你小孩大概率會快樂。
如果對養育小孩的觀念是當成投資的、養兒防老的，
建議不生，你當父母大概率會不快樂，
不快樂的父母也很難有快樂的小孩。

當父母非常困難，需要不斷學習和改進，
但是當父母卻幾乎無門檻且無人監督，
大部分的時間你對待小孩的方式都是自由心證。
用比較簡單的判別來舉例，
罵完小孩很容易後悔的，至少就是有反省意識的父母，
不斷的跟著孩子一起改進，是通往好父母的方向。
如果是那種打完小孩，想起來會覺得自己當初應該打更狠、罵更凶，
後悔沒有讓小孩謹記自己的權威，
這種逞凶鬥狠的對待小孩方式，

跟對仇人有什麼兩樣？

怕麻煩、計算著回報、把生小孩當成投資的，
就別生了吧，
風險高成這樣何必呢？
把錢拿去投資其他有穩定回報的不好嗎？
有些小孩需要幫忙卻不去找父母，不是因為不敢，
是因為知道八成會在興師問罪後被拒絕。

我從小在用錢上面很被為難，連拿學雜費都要先被罵一頓，
直到近年我爸還跟我算帳式的提過我國中的補習費花了他多少錢，
我當時一下子又回到了被說「白養你了」的小時候，
彷彿我當女兒的產值沒有達標、投資在我身上的一切很不值、
害爸媽回不了本是我的罪過。

然而我只要一節省，他們就會對我予以肯定，
唯有在節省這事上，屢屢被誇懂事，
於是我就越來越省、趨近於窮酸的省法，好像我就不配吃好穿好一樣。
父母不停催著我獨立，
我自己走了多年上山回家的夜路、
初經來時自己去問鄰居阿姨怎麼處理、
自己搬家、自己去醫院做手術。
大四時，我五月就找好工作，畢業第一天七月一日就開始上班。
我想要的已經不只是經濟獨立，
我想要的是努力脫離那個「很怕被我麻煩到」的環境。
不管是不是金錢，父母對小孩付出得不甘願，對雙方來說都痛苦吧。
對我來說生小孩這件事是我的選擇，
選擇了就是我要負責的人生，不問回報，不問值不值得。

最後引用東野圭吾在《時生》裡的句子：

「為什麼所有為人父母的，都只是考慮自己要不要這個孩子，

卻從來沒有想過，這個孩子願不願意讓我去做他的父母。

沒有人想過，

我當你的父母，沒有讓你失望吧。」

睡不飽

為什麼一起床就這麼累？
難道剛剛那場覺，
我並沒有睡？

一場幻想出來的覺，
是不是就是幻覺？

15

育兒友善

台灣的育兒壓力滿大的。
我們帶小孩回去過年短短兩個月，
賊粒快樂的躺在地上的照片，
就被人放到其他社團去公審。
以為這是有名氣才會有的現象嗎？
不，我分享我被公審後，
許多網友紛紛截圖傳來
他們也被偷拍公審的經驗，
而照片中的小孩，
幾乎全是光憑「有可能」影響到人，
就被拍下來公開批鬥。
我認為一個育兒友善的環境，
就是如果你並沒有看到惡劣的後果，
就不用發出預先批評。

預先批評誰不會，
你兒子尿尿會擦嗎？
沒擦的話以後會在公共場所散發尿騷味，這樣沒有公德心。
你女兒國文有滿分嗎？
沒有的話以後可能會有閱讀障礙去當酸民給別人添麻煩。
預先批評的最大問題就是它的幻想成分是沒有上限的，
它其實就是「莫須有」的罪名，
「莫須有」並不是不需要有，是「也許有」的意思，
這詞是哪來的呢？是秦檜誣害岳飛用的罪名。
「雖然我沒看到，但你的小孩『也許有』影響到別人，你不能讓他這樣。」
「雖然我沒看到，但你的小孩『也許有』生病或受傷的可能，你這樣不盡責。」
教養就已經這麼難了，
還得面對這些做人這麼秦檜的魔人。

而這樣不友善的育兒環境，
不僅讓人害怕生小孩，
更是已經成為「生不如死」的國安問題。

其實我不用真的帶小孩回台灣，
光是在粉專上收到的眾多育兒指教，
就能感受到台灣對於幼兒的行為有多高標。

對於我不斷的提倡育兒友善，很多人認為：
「你自己要生小孩，就要去適應環境，讓小孩懂得尊重人、不要影響到別人。」
這個觀點看起來沒什麼問題，
但它的要求，對幼童來說，其實是很嚴格的。

彼此尊重、彼此不影響，就是井水不犯河水罷了，

我提倡的又不是在路上跟陌生人微笑打招呼，
當我獨善其身時，陌生人的友善對我來說不是很重要。
今天就是因為育兒非常辛苦、難掌控、常常很狼狽，
所以才會希望能有友善的環境，
不要讓生兒育女這麼正常的事卻讓人這麼有壓力。

群體社會裡，所有人都會互相影響，
你放屁、自拍、講手機、噴香水、流汗都會影響到別人，
小孩是一群對自身沒有百分百掌控能力的人，
沒有小孩一出生就會看場合哭泣與嘻笑，
對小孩的包容就是，
在他們還沒學好社會化和各種禮儀的過程中，
不要對他們與他們的父母那麼嚴苛。

「育兒友善」的內核，就是包容，
講到包容，一定會有「憑什麼要我包容你？」的聲音，
就是愛護幼小啊，
不要讓小孩在天真無邪的年紀就得感受到社會的壓迫與敵意。
愛護幼小這件事如果還需要解釋的話，那是文明的倒退。
如果一個中年男子憤怒的講手機罵髒話，你不敢請他控制情緒小聲一點，
那當你阻止小孩發出一樣分貝的聲音時，就是在挑軟柿子捏。
給小孩的包容最低，是一種欺負弱小的表現。

很多人覺得小孩是父母的所有物、就像是另一隻手一樣，
所以一失控就馬上怪父母怎麼沒管好，
這些人其實是極權主義的熱愛者，
他們使父母連讓小孩自然抒發情緒的餘裕都不敢給。

「不會教就不要生」這句話我也覺得很厭惡，
這話完全顯現了台灣苛刻又管過界的育兒環境，
你有什麼資格判斷別人會不會教？
你有什麼權利管別人要不要生小孩？
孕育下一代、拉拔以後要付稅金養你的國家幼苗，輪不到你的允許，
光是能夠義正詞嚴的叫別人「不要生小孩」就是一件非常荒謬的事，
跟三姑六婆叫你「一定要生小孩」一樣荒謬。

台灣社會對孩子和對父母都太嚴格了，
被苛薄對待的父母，要如何寬容的對待孩子？
這也不行、那也要管、越乖越好、越壓抑越好，
要每個父母都起來抵抗育兒不友善的環境是不可能的，
因為叫自己的孩子不要像孩子還比較快。
對社會的幼苗好，是對社會好，

你可以不生小孩，
但是讓人敢生小孩的環境，才是友善環境。
沒有對個體的寬容，
不要覺得這份不耐，永遠不會反噬到總有一天年老的你身上。

足不出戶的媽媽

希望下雨，滂沱大雨。
希望下雪，天寒地凍。
希望起風，刺骨寒風。

這樣我就能心無旁鶩的顧著孩子，
雲淡風輕的說，
困住我出不了門的，
只是天氣。

16 關於挫折教育

小時候我有一個很崇拜的叔叔，
在一次吃飯席間自豪的說：
「我上次拿我兒子的手去摸牛排的鐵板，
這樣他以後就知道這會燙很危險。」
看著他沾沾自喜的臉，
我對他的崇拜瞬間灰飛煙滅。
可惜我當時太小了，
只有本能的感覺到殘忍與不對勁，
吐不出任何反對的話。

關於孩子的挫折教育，
我也是當父母後才開始思考的，
我認為的挫折教育，
是在孩子遇到挫折時，

幫助他能夠找到方法和長出足夠強壯的心志去度過難關，
絕對不是親手為他製造挫折。
有些父母還會對小孩說：
「只有父母才會這樣管你，以後你出社會，誰會這樣對你？」

沒錯喔，出社會如果遇到蓄意傷害的對待，是可以報警的。

想用體驗派讓小孩知道鐵板會燙，有本事就自己摸給小孩看，
讓他看看你手上長出的水泡和痛苦的表情，他也會了解到燙的危險，
直接抓小孩的手去燙，他除了學習到鐵板很燙，他也學習到了「父母會故意傷害他」，
這種教育豈不是更傷人嗎？

還有一派人認為「讓小孩過得無憂無慮太安逸，以後會沒有抗壓能力，
面對不了殘忍的社會。」

殘忍的社會是誰造成的？是充滿愛的人造成的嗎？
還是那些沒有被無條件包容過，所以不會愛的不友善人們？

現實的殘酷，我想讓小孩越晚領教到越好，沒有想幫他們先預習。
我教孩子什麼是愛，社會遲早都會讓孩子知道現實是什麼，
我教孩子現實，是指望社會去教他如何愛嗎？

在我的理想世界中，
不需任何理由，孩子們就應該無條件的被保護。
不應該用教導或是任何名義傷害他們。

有挫折再來面對也不遲，
故意讓孩子有挫敗感，更多時候只是純粹的傷害而已。
社會已然險惡，但險惡不該來自家庭。

17

我的權威可以被挑戰

有些人會對我說：

「你的小孩在挑戰你的權威。」

你的權威不容挑戰嗎？

我的是可以啦。

我又不是電不是光不是唯一的神話，

我為什麼不能被挑戰，

當父母的要小心自己給自己賦予

至高無上的權威感，

我就是一介普通民女，

生了小孩之後沒有自然變成權威人士，

我的小孩當然可以挑戰我，

萬一我做錯了，還得跟他們道歉呢，

畢竟做錯事就要道歉，

是父母該對小孩示範的基本禮儀。

我沒有想要樹立出讓小孩怕我的威嚴，可能跟我自身的經驗有關。
我小時候很怕被打罵，所以養成很會說謊的習慣，
我甚至都不知道為什麼我要說謊，
我只是不確定我說了真實情況會不會被罵，
所以我就內建了好幾個一定不會被罵的回覆。
我說謊的時候並沒有什麼壞心眼，
我就覺得我是在保護自己，因為說謊能逃避懲罰。
我想習慣說謊的小孩大部分都不是有品性問題，
是有恐懼問題。

其實我並不擔心小孩騙我，
我擔心的是他們遇到困難時，因為害怕被罵不敢說，而得不到我的幫助。

神獸兄妹闖禍，我常常是只有叫他們一起善後，但不一定有罵他們，

因為我覺得一個敢說真話的空間，需要父母用很多次的寬容，
才能培養出小孩的安全感。
很多人誤以為放養就是放任、就是沒有在教，
事實上放養絕對不是放縱，放養的精髓是克制，
克制自己的怒氣與控制欲。

吼一聲罵兩聲是快速又解氣的事，
一不合己意就吼罵的行徑是順應人性的本能的，
而克制本能才是困難的，
當你被小孩惹怒、或是他讓你感到丟臉時，
你忍住想發洩的衝動，
先想他有他的原因嗎？他的原因在他這個年紀合理嗎？
他知道不能這樣做嗎？我有教過他嗎？
想完這些再罵，會對孩子比較公平，

而不是沒有教過就讓他從懲罰中學習。

「教育」二字對我來說，「育」可能更重要一點，
因為各項技能、知識、體群美並不是只有我能教孩子，甚至給專業的教更好，
但只有我能養育他們，
想要小孩有好的品格，也不是口頭言教即能達成，
還是得用關愛、陪伴和身體力行示範給他看，
讓他享受當孩子的同時，也對成為一個大人有所期待，
這對我來說才是育兒的核心。

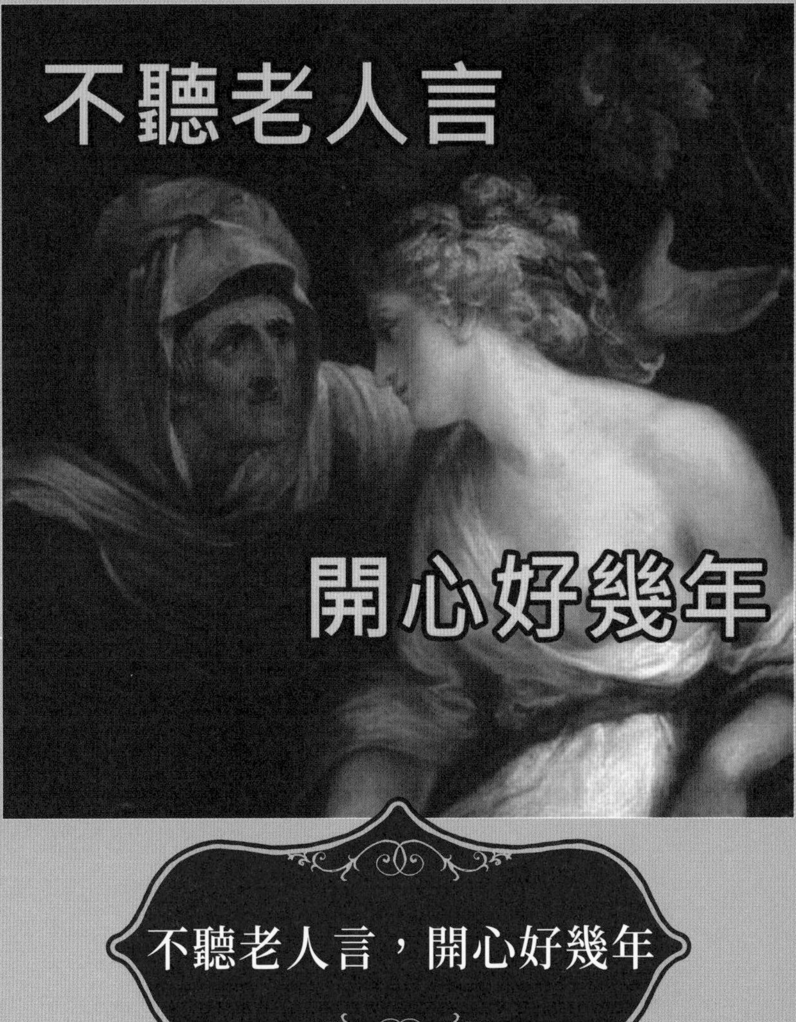

不聽老人言，開心好幾年

第3章

01 不怕出名 因為我不是豬

「人怕出名豬怕肥」
是一句普通人在名人遇到事件時，
拿來落井下石的話。

把成名的人跟肥豬相比，
是「名人都是拿來給大家養套殺」的
酸葡萄心態吧。
人真的怕出名嗎？
如果你辛苦的開了一間店、
創辦了公司、
在某個領域很有成績，
會不想出名？
名跟利息息相關，
出名會得到好處這沒什麼好諱言的，

芸芸眾生誰不想要過更好的生活呢。

不是不要出名，是不要變成豬，
只要你是豬，
你的命運就是待宰，肥不肥都是死路一條。

在二〇二〇年我突然爆紅，
一夕間有數家媒體刊登我的圖文，
我的粉專一個月內湧進了十萬人潮，
這時候我首度嚐到了，不斷被眼紅的滋味。

有些人的人性是，他們不會去忌妒世界首富，
但看到身邊的人得到一點什麼，
就會難受。

認識的人中，
有些人開始模仿我、有些人議論著我「想紅」。
「想紅」這詞的語境給我的感覺非常接近蕩婦羞辱，
想紅怎麼了嗎？
但凡有想紅的慾望就是道德瑕疵嗎？
很多藝人出道時都要操作成正妹被偷拍，迫不得已紅了，
因為自身不能有想紅的慾望？
若一個人有能力、經過努力、把握住了機運，
那他得到的名利，
就是他承受得起的。

追求金錢和權力並不可恥，
所有人都想要過更好的生活，
但當更好的生活被置換成「榮華富貴」時，

彷彿是把物質的享受換成一個罪惡的概念。
明明沒有偷拐搶騙，
「想紅」和「愛錢」卻成為罵人的詞。

追求權力和名氣沒有任何不對，
家裡的經濟權力、社會中的政治權力、各個領域的地位，
我們都可以坦坦蕩蕩的熱烈追求。
如果連「想要取得」的這個過程都要被拿來置喙，
那是不合理的打壓。

若有朋友在你得到錦時，不添花也不祝賀，
在你遇到雪時，對你說出「人怕出名豬怕肥」，
最好一輩子都跟他一樣默默無名低調點，
這種人就放生吧。

成年人的苦楚那麼多，
有快樂的事就盡情分享，
真正的朋友只會被你的快樂感染，
會被刺痛的就讓他痛吧。

蒼蠅

我在雪中時，你不送炭，沒有關係。
我得到錦時，你不添花，你很生氣。

你說，一面錦有什麼了不起？

我吃了一驚，
看見你眼睛紅紅，像隻蒼蠅。

在蒼蠅面前，
連拉了一坨屎，都會被說愛現。

02

生氣不是拿別人的過錯來懲罰自己

「要愛自己」、「凡事要適度」

這種話如果不討論愛的方式與責任、

適度的度在哪，

那它就成為拿來發自拍用的廢話雞湯。

有些廢話雞湯能鼓舞人也滿好的，

但有些雞湯會讓我聽的時候

覺得被噴的滿臉油膩。

其中一句就是：

「生氣是拿別人的過錯來懲罰自己。」

我不壓抑自然會有的喜怒哀樂

就說我是在懲罰自己，

這也是一種情緒勒索吧。

我沒有在懲罰自己，我覺得生氣很舒服，

負面情緒是正常的情緒，

不讓人抒發釋放，前堵後截只會引發難以收拾的洩洪。
而且生氣除了是自然的宣洩以外，
生氣還能給人反擊的力量。

生氣也是一種活力，有氣勢就會「生氣蓬勃」，
有力量憤怒的人，就有力量反擊。
讓別人知道你是有底線的人，有憤怒的事情你會發聲，
而不是容忍的過完一生。

國小跟國中都是轉學生的我，
從小就體認到人還是有必要讓自己變得不那麼好欺負。
這世界的不公正是如此常態，
很多人際間的秩序需要自己出手維護，
可以逃離、可以反擊，

但待在原地等因果輪迴、惡人被天收，
你只會遍體鱗傷。

所以我不會叫孩子不要生氣，
我也希望孩子知道什麼是反擊。
生氣是一種表態，是提醒別人停止激怒自己的信號。
如果覺得小孩生氣就是以下犯上、讓他們總是習慣被父母權威壓制，
那從來沒有好好捍衛過自己的人，要如何知道自己有能力反擊呢？
被冒犯時不是只能默默嚥下，
讓對方知道你的憤怒、讓他們無法橫行的那麼心安理得，
對我來說也是公平的一種。
被討厭沒關係，被欺負不可以。
我期許自己成為能忍讓小孩生氣的父母，
畢竟敢生氣，也是需要練習的。

03

囝仔人有耳也有嘴

每個人在還沒社會化的小時候，
都沒有「得體」的概念，
但是那時發出的疑問與說出的想法，
是最天真無邪且不帶著成見與惡意的。
然而大人卻常常對著興沖沖、
充滿好奇的孩子們，
用「囝仔人有耳沒嘴」使之閉嘴，
這樣簡單暴力的一句話，
否決了孩子參與討論的資格，
強制小孩只許聽不許說。

小時候我爸常罵我：
「你什麼都不會，就頂嘴第一名。」
我老是被「頂嘴、頂撞、叛逆」這幾個詞

罵的一頭霧水，

因為我說出我的看法時，並不是想要引起對立或存心惹惱人。

到了青少年的時候，對世界有更多新的認知和想法，更是天天被罵叛逆，

大人總認為，

一個青少年不讓別人對他無禮，就是無禮。

我覺得意見不同就叫人閉嘴的大人，才是真正無禮的人。

當一個孩子發現，他只要一開口，就容易面對指責與批評，

他就會慢慢不表達自己，

而一個人不表達自己的看法，就不會懂得拒絕，

長此以往只會越來越怯懦。

為什麼一個小孩在學習說「不」時，會被認為是叛逆呢？

父母不是君主、小孩也不是臣子，

只是有不同的意見，就是背叛造反或推翻忤逆？
一邊希望小孩不要對你說「不」，
一邊希望他們長大懂得拒絕。
一邊希望小孩對父母的話照單全收，
一邊希望他們長大又會獨立思考又能突破框架。
一邊希望小孩「囝仔人有耳沒嘴」乖乖閉嘴，
一邊希望他長大可以好好表達自己、最好還辯才無礙。
這就是要馬兒跑又要馬兒不吃草。

把小孩當成一個人來尊重，並不是不罵他，
而是你罵他的時候，你得罵得有道理，並且允許孩子回嘴。
如果孩子說錯了，就糾正他，如果孩子說對了，父母就道歉。
這才是一個健康的溝通，而不是你敢回嘴我打死你，
把小孩養成隱忍畏縮還認為這就是乖巧。

表達自己跟拒絕別人都是需要練習的。
表達跟別人不同的見解、拒絕身邊人的情感勒索更需要勇氣。
下次小孩頂嘴時，
你可以想著他正在練習表達與拒絕，
畢竟他們最開始也只能跟父母練習，
所以不要那麼急著發脾氣嘛。

04 哭可以解決問題

每次聽到「哭不能解決問題」這句話，
我都想翻白眼。
大部分的人哭了出來，
並不是為了要解決問題好嗎？
哭是人類正常宣洩的方式，
不需要壓抑、也不需要能解決問題。
這句話跟
「生氣是拿別人的過錯來懲罰自己」
有異曲同工之妙，
這種隱含著叫別人不要哭、
不要生氣的句子，
其實都是把負面情緒視為不應當。
然而負面情緒是正常情緒，
當正常情緒無法被壓抑時，

最好的方式就是不要壓抑它。
而且，哭是能解決問題的，
它能解決我的情緒問題。
哭不但能解決問題，
技術好的人，像我女兒，
連假哭都可以讓哥哥出來為她解決問題。

達爾文認為，流淚是人類進化的遺跡，
與進化過程中的生存競爭無關。
哼，如果要用這麼功利的角度切入的話，
我仍然要為流淚辯護。

長大後的我，比小時候堅強了很多，
因為個性倔強好強，我很擅長把眼淚憋回眼眶，但我的每次落淚，沒有一次使我更軟弱。

不管是痛快的哭一場，或是靜靜掉淚，都不是在無理取鬧，

我只是需要收拾情緒的過程，

生活中的困難如此多，

我們都需要健康的宣洩方式。

推薦你們，哭一哭，

眼淚不但不用錢，還有用。

05

媳婦爲什麼要熬成婆

讓人類共同進步成一個更文明的世界，
觀念應該是：
「我都犧牲過了，如何讓別人不用犧牲？」
而不是：
「我都犧牲過了，你也要犧牲才公平。」

自己受過的傷，不願意別人也遭受。
這也是善良的表現。
有些溫柔是被寵出來的，
有些溫柔是被傷出來的。
受了傷的人，努力不讓別人受傷，
就是一件善良的事。

我非常討厭「媳婦熬成婆」這句話，

好好的媳婦，為什麼要熬？

這句話的語境是指熬成婆以後，就擁有支配的權力，

它的潛台詞是：「終於該我了，該我來熬別人了，

我不在乎公不公平、我不在乎權力不對等，只要我是握有權力的人即可。」

我們先不說以德報怨這種不太符合人性的大愛，

以其人之道還治其人之身都還合理，

但以其人之道還治「其他人」之身，是一種嫁禍吧。

遇到不公平的事情請起身對抗，與制度對抗、與施壓者對抗。

忍耐著過一生，最後不放過成為加害者的機會，才是真正的窩囊。

沒有人應該是被欺壓的媳婦，也沒有人應該是欺壓別人的婆婆，

在任何身分上熬出頭的人，都應該是更自由、更快樂的，

而不是熬成一個，自己當初討厭的人。

06 誰說少年不識愁滋味

說年輕人「少年不識愁滋味」，
認為年輕人遇到的任何事都不算什麼，
只有自己身為成年人的痛苦才是痛苦，
這是成年人的傲慢。

小孩心愛的玩具壞了、
年輕人失戀了、
成年人失業了。
當下都像是天塌下來一樣的絕望。
即便把人生拉長放遠看，
並不是什麼大事，
但當下的絕望與傷心，
也都是要努力去度過的。

直至今日我也沒忘記我少年時經歷的愁苦滋味，
那是一種沒有選擇權、沒有錢、逃離不了任何環境，
身不由己的卑微。

父母要搬家，你只能去新的學校，
新同學要排擠轉學生，你只能面對，
老師要因為你少幾分打幾下，你逃跑不了，
世界很大，但跟我沒關係，我哪都不能去，
甚至我擁有的任何物品，也不真正屬於我。

人生的每一階段都有每一階段的難處，
如果你的少年時期過得很無憂，那真的是恭喜你，
你可以說你自己少年不識愁滋味，
「以前的苦根本不算什麼」，是對熬過來的自己說的。

所以停止倚老賣老吧，
人類的智商不是每老一歲就會自動增加的，
年齡也並沒有有賦予你叫年輕人閉嘴的權力，
有些人隨著歲數增長，只是把愚蠢的日子過得很熟練而已，
並不會自動變成值得效仿的對象。
你吃的鹽比我吃的米多，只代表你吃的很鹹。
小時候也常有人對我說「你這哪有什麼，等你長大就會知道 blablablah」，
然而長大以後，我並沒有長出跟對方一樣的心境和思維，
因為幸運的，我們是不一樣的人。
怎麼會有人以為變老了以後，大家的思想就會統一？
連人的多樣性都不理解，
只擺得出「我懂得比你多」的態度而說不出任何以理服人的話，
這種人想賣的老散發著油膩的腐臭，
你的道理早就已經餿了，沒人要買，快點端走。

學識、見識、知識並不跟年齡成正比，
多的是不再學習新知、眼界越來越狹小的老人，
你當然可以輕視比你年輕的人，
但與此同時你暴露了自己的淺薄與傲慢，
當然也得不到尊重。

07 關於天下那些不是的父母

自古以來，
這社會發明了太多句子來給予父母權力，
並將父母塑造成一個無私高尚的形象：
「沒有父母不愛自己的小孩」、
「天下沒有不是的父母」、
「可憐天下父母心」等等，
然而社會把父母的形象捧得越偉大，
受到父母欺壓的孩子，就越無助。

會有父母故意傷害自己的孩子嗎？
當然有。
因為壞人成為父母時，並沒有任何門檻。
會有父母不愛自己的孩子嗎？
當然有。

我收到了很多次私訊，
有其他父母來詢問我：「我不愛自己的孩子怎麼辦？」
我看了感到深深的無助與無奈，只能請他們去尋求專業協助，
每次我都會有一句很想吶喊出來、但知道沒有任何幫助而努力吞回心裡的話：
「幹嘛生呢？！」
請大家不要再用「生了就會愛了」這種完全不負責任的話慫恿不想生的人生小孩了，
對於本來就不愛小孩的人來說，
「生了就會愛了」是在等待奇蹟，
有些人幸運的等到了，
而沒等到的，會留下無盡的痛苦給孩子與雙親。

我認為對待俗語的觀念應該是這樣的：
你要先知道這句話是誰講出來的、以及講述的對象是誰。
而不是把任一句俗語當成真理來信奉。

「天下沒有不是的父母」這句話，應該是父母拿來自我要求用的，
而非合理化自己的過失，
是「我跟其他父母一樣都是愛孩子的，如果傷害了孩子我就要改進」，
不是「我跟其他父母一樣都是愛孩子的，如果傷害了孩子我還是沒錯」。

同樣的，「大家都是第一次當父母」也不是一份免責聲明，
而是提醒父母，
你不會，要去學，不能用「為你好」來粉飾太平。
當父母的也不用將自己擺在一個犧牲一切的悲情角色，
生兒育女是自己的決定，你的付出不應該成為要脅，
更不能拿來交換本來就不能用來交易的，子女的自由與尊嚴。

給沮喪的你

第4章

01 不感激傷害

成長的方式有很多種，
不需要被傷害也會成長。
嬰兒不用挨過打，
一出生就知道擁抱是善待。
打了我一巴掌再給我一顆糖，
和著淚吃的那顆糖並不會因此變甜，
這跟努力後收穫的果實更加甜美
完全是兩回事。
符合人性的善待不需經過錯待才能體現。

我小時候被暴力對待過，
所以自己當父母後，對於體罰非常謹慎。
但是這個因果並不能證明什麼，
因為如果我從小被溫柔以待，

我很有可能仍然會成為對體罰非常謹慎的父母。
所以我是非常不贊同「要被錯待才會感激善待」這種弔詭的架空假設。
要如何認定一直被善待的人就不懂感激？
很多人會有「害怕對小孩太好」的觀念，
寧願嚴厲到讓小孩受挫折，也不要寵溺小孩。
你對小孩好他會不懂感激，但你偶爾對他好他就會感激？
這是什麼斯德哥爾摩式感謝法？
這樣向小孩演示愛的父母，
是想要小孩找一個只會偶爾對他好的伴侶嗎？

「殺不死你的使你更強」這句話我覺得非常心酸，
聽起來就像是一個遍體鱗傷的人在自我安慰。
我有想要更強嗎？
如果可以天真爛漫的度過一生，

我才不想領略世間的艱難、不想提早長大被誇堅強，
能選的話我只想要更柔軟，當一灘無憂無慮的爛泥，
我根本不想要有自己的某一部分，差點被殺死的痛苦經歷。
變強是什麼我不確定，
但我很肯定殺不死我的，讓我變得更複雜了，
而且哪裡留下了不可逆的永久傷痕，我自己清清楚楚。
再說了，就算沒有經過傷害，我也不一定不會變強。

傷害就是傷害，苦難就是苦難，
苦難不等於成功，而對於苦難的忍耐，
它是生存策略，不是美德。
我感激撐下來的自己與撐住我的人，
一點都不感激傷害。

放下

我不是叫你放下，
我是叫你放下屠刀，
因為殺人是犯法的。

我不是叫你不要恨，
我是叫你不用恨鐵不成鋼，
有些人遇到了，也只能敬自己一碗孟婆湯。

02

同理心

對我來說成年人的生活難在哪呢？
就是到了一個年紀，
生活中的很多問題
已經不需要去找人諮詢和訴苦了，
許多困境不過也就是「Life happens.」
是自然會發生的人生習題，
你也不是沒有能力和智慧去面對，
只是就是，
很累。

得逼著自己吸一口氣，提起腳步，
咬著牙繼續邁前。
因為你無法逃離，也無從逃離。

長大了之後才發現，
原來連要過上簡單的生活，都需要花費很多精力。
上了這麼多年的學、補了這麼多年的習、考了這麼多試、
熬了這麼多夜、換了這麼多工作、遇到了這麼多人。
一路這麼辛苦，
用盡力氣就是為了過上普通的生活。

小時候我很常去政大溜直排輪，
我會在山坡那邊，花二十分鐘慢慢的爬上去，然後花十秒鐘溜下來。
付出與享受不成正比仍然樂此不疲。
那時還不知道這就是我長大後生活的縮影，
一路乘風破浪披荊斬棘很久，
得到短暫的快樂，
然後一切再從頭來過。

我能對他人的苦難產生同理，
也是因為我人生的困境多於順遂、掙扎多於安穩，
努力後還是徒勞的心酸只有自己知道。

二〇一九年我們帶著一歲和兩歲半的神獸兄妹搬到完全陌生的德州，
找不到房子，半年搬了六次家，
米米變得非常沒有安全感，睡眠又短又淺，
我有兩年多沒有連續睡超過三小時，
然後精力充沛的賊粒一下讓家裡淹水、一下拆東拆西。
我無後援，每天一打二常常突然斷電，恍恍惚惚惶惶終日，
然後疫情開始，居家隔離，我簡直墜入深淵。
我數次抱著老楊問：「可以提醒我一下為什麼我們要生小孩嗎？」
我每一步都好好計畫的人生，為什麼變成這樣？
為什麼用了這麼多方式都沒有解決我的困境？

事實上，我當時的困境從來沒有被解決，
最後是靠著熬過那段時間、孩子慢慢長大才好轉的。
我體會到很多事是結構性的困境，無法單靠個人努力解決。
其實我完全知道自己那時就是撐在憂鬱深淵的崖邊，
在育兒苦海中，我幾度差點沉下去，
讓我僥倖脫險的，是我有神隊友和我的精神世界——文學藝術。
有神隊友，是幸運，
有多少人是生完小孩才發現隊友是好丈夫但不是好爸爸。
擁有精神世界，也是幸運，
我的興趣能被培養，也是因為有家境栽培，
被送去學過畫畫、家裡有很多可以看的書。
我意識到，生活對我下重手時，我之所以沒有被擊潰，
並不是因為我機智或勇敢，
其實就是靠幸運。

然而有些人，他們以為自己也歷過苦難，就輕視別人的苦難：

「大家都生過小孩，就妳有產後憂鬱。」

「我也有兒子啊，妳有什麼好崩潰的？」

「誰小時候沒被打過啊，我就沒有童年創傷。」

完全忽視個體化的差異與芸芸眾生款款不同的苦。

以為苦難的極限不過如此，就生出傲慢。

世界上的苦難就是有輕重之分，

如果連這件事也不了解，你就知道你承受的有多輕。

有一個笑話是這樣的。

A：「我家沒有錢。」

B：「我家也沒有錢。我家司機沒有錢、我家保姆沒有錢、我家打掃阿姨也沒有錢。」

B的問題是有錢嗎？並不是，他的問題是沒有自覺。

當他以為他承擔的跟別人一樣時，他看不到別人的難處，就會對別人的不足表示輕蔑和提出質問。

但凡能換位思考一秒鐘、想像得到別人的任一苦衷，
就說不出落井下石的風涼話。
如果沒有對自身幸運的認知，
當然不會對他人的苦難有悲憫。

03 再活一下好嗎

你曾想過結束自己的生命嗎？
我原本以為所有的人都想過，
後來既欣慰又羨慕的得知
許多朋友從未有過這個念頭。

我曾反覆思考著死亡的事，
讓我來說說我是如何度過自殺的念頭的吧，
畢竟要放下屠刀的人，
得是拿起過屠刀的，
我知道想死的原因有很多，
這篇是希望能給想負氣離開的人，
多一條想通的思路。
理解不了的就不用理解了，你們很幸福。
我青春期時，

來自原生家庭的言語羞辱和肢體暴力，讓我有無數個夜晚都是哭著睡著。
直到現在我不小心撞到頭，腦中會瞬間播放兒時被呼巴掌的畫面；
偶爾在睡前一翻身，也會想起哭濕的枕頭觸感。
我深深體會到，沒有反抗能力的人，就會想用死亡來換取一次真正的發言權。
因為絕望，所以想拿命來反擊。
我當時在腦中演練各種版本：
我要寫好遺書放在學校抽屜，
然後我要在我房間的牆上用血塗滿控訴後吊死自己，
畫面一定要足夠恐怖，足夠成為夢魘。
直到我意識到一件事：讓你痛苦到想死的人，你去死真的傷得了他嗎？
我想很認真的告訴大家，不要期待傷害你的人會反思，
你傷害自己，就只是傷害自己，不要幻想可以傷到別人。
甚至連對你有感情的人，都不一定會感到悔恨。
他們很有可能會把你傷害自己這件事歸咎於

你軟弱、不懂事、抗壓力差、
自己想不開、不是他們逼的、與他們無關。
你用命換的，可能只是他們不痛不癢的小瘀青。
你的命是你最大最珍貴的資本，你要豁，也不要這樣白豁，
你傷害自己懲罰不了任何人。

人生不如意有八九、而可與人言的無一二，
在萬念俱灰或痛哭失聲的日子裡，想一想只要撐下去，
總有一天，你一定能遠離傷害你的環境，獲得尊嚴與自由。
也許你是受害者，但你不是弱者，
你有自己的獨立人格與美好特質、也有自己的喜好與對未來的想像。
再活一下好嗎？
時光的河入海流，至黑至暗的時刻會度過。

人生起起落落

一切都會變好的
然後再變壞、然後再變好、然後再變壞
人生就是這樣起起
落
落
落
落
落

你先不要吵我，
等我安全降落時，
我再跟你說。

04

被討厭需要的不是勇氣

有一本很紅的書叫做《被討厭的勇氣》，
導致我很常收到一個詢問是：
「為什麼你有被討厭的勇氣？」

我認為對一個真正不怕被討厭的人來說，
被討厭是不需要鼓起勇氣的。

就像不怕生的人
不需要鼓起勇氣就能跟陌生人說話一樣。
「不怕被討厭」，核心不在勇氣，
而是在無懼，是「不怕」被討厭，
不是「鼓起勇氣」敢被討厭。

我之所以不怕被討厭，
除了因為清楚體認到

被討厭是人生必然會發生的事，既阻止不了、它也不見得傷得了你，
還有因為對於我來說，我也是精挑細選、去蕪存菁的只留好的人事物在身邊，
那些討厭你的人，你被他喜歡有得到什麼益處嗎？
他有什麼偉大特質讓你一定要被他喜歡？
沒有的話，那被討厭的應對方式非常輕省：
你討厭我我也討厭你啊。
對我散發惡意的人，當然不會被我喜歡。

我細究了自己不怕被討厭的最大原因，是「能自處」與「有自覺」。
我花了很多時間培養各種興趣，興趣讓我獨處時能有許多娛己方案且不空虛，
而其中習慣閱讀與書寫這項愛好，使我能思辨、產生自覺，擁有飽滿的精神世界。
因為喜歡自處所以我不會把人生重心建立在人際關係上，
而擁有自覺讓我坦然，
自覺不是盲目自信，是清楚自己的長處與缺陷，所以不會因為他人評價而患得患失。

我不會因為你的吹捧而上天，同樣也不會畏懼你的批評。
自覺能讓我一直調整自己，成為自己最喜歡、最接納的狀態，
而我接納自己的同時，我也接納有些人會不喜歡我的特質，
我也能分辨，哪些惡意不是對我的描述。

縱使遇到攻擊，如果他們的厭惡只是他們恨意的投射，那就與我無關，
如果他們的厭惡是我的軟肋，那對付我的軟肋，是我一輩子的功課，
我已傾盡全力在打磨自己的路上，
若不喜歡這樣的我，我既能理解也不感到冒犯。

不怕被討厭，其實也是不怕失去。
成為自足和自洽的人，就會讓你有本錢看淡失去。
更何況，有些人失去了就是一種獲得。

05

給沮喪的你

成為ＫＯＬ最美好的事，
就是常常會收到很多讀者來信道謝。
還有幾個有憂鬱症的網友，
有些說這幾個月來
只有看到我的文章才笑了出來、
有些說看我罵人
他神奇的感到我在跟他並肩作戰。
能夠讓我在自娛的同時多了意義，
我也要謝謝你們。
感到沮喪的朋友們，
讓我再多鼓勵你們幾句吧！
不用快樂沒關係。

都已經這麼累了，
不快樂就不快樂吧。
不用勉強自己打起精神，
別擔心，
當爛泥也可以。
我不會對憂鬱的人說：
「你要開心啊！你看那麼多人愛你。」
因為這就跟向氣喘發作的人說：
「你要呼吸啊！你看那麼多空氣。」一樣不合理。

如果你覺得你對於現在的困境什麼都做不了也沒關係，
你可以思考人生。
千萬不要小看貌似胡思亂想的自己，
對自我與對世界建構新的認知和反思，是很不容易的事，

經歷的苦澀多了，
也會變得更加敏銳和果斷，
我想我快刀斬亂麻的狠勁、體悟到薄情也是一種自保、對人生的鬥志，
都是在無數的痛苦中磨練出來的，
它們在我人生的許多時刻，
幫助我完成了一些重要的跨越。
不要小看意識型態的轉變，
也不要厭惡敏感的自己，
敏銳的內心也是能保護自己的。
我們不感激傷害，
但是只要我們熬過去，
心碎就不是枉然的了。
不放棄自己，你就讓痛苦有了意義。

有無法預期的難過，
也有意想不到的快樂，
即使傷心不會過去，
但是總有一天，傷心不再重要了。

吃人

「眾生皆苦。」

「那你就別吃了吧漢尼拔。」

06 誇誇自己也很好

有天我看著賊粒的臉，忍不住對他說：

「賊粒，you are so cute!」

賊粒笑盈盈的秒回：

「and smart, and brave, and soooo strong.」

我：「好。」

我有點被他自然流露的爆棚自信嚇到，

但真的是覺得很好，

閃閃發亮的，真自信。

還有次我正要撿米米掉在地上的湯匙時

有點搆不著，

賊粒見狀說：「媽媽，

You can do this! You can do everything!」

這種有點魔幻的浮誇鼓勵，

真的帶給我力量了。

而且知道了他在學校一定也是這樣被對待著，感到安心。

家裡施工，我們待在二樓，聽到在樓下的工人時不時傳來對自己的誇獎：

「Holy cow it's a masterpiece.（天啊傑作。）」

「I have to say, it's amazing.（我必須要說我做的超棒。）」

「This is perfect.（完美。）」

聽在我耳裡，帶給了我小小的文化衝擊。

我如果敢在我成長的過程中這麼誇自己，一定會被說不謙虛。

然而這樣誇獎自己的工人，在我眼裡並不會覺得他囂張跋扈，

看著他這麼快樂又享受的工作，

我不只替他開心，我也格外的覺得他做出來的東西一定讓人安心。

學生時期曾有同學對我說：「妳畫畫畫得不錯欸。」

我回：「謝謝。」

同學竟然微微吃驚的說：「妳好有自信喔。」

我當時有點愣住，

彷彿他預設了我應該謙虛一點的回說：「沒有啦。」才對。

難道我接受了讚美就是我不謙虛嗎？

我覺得虛懷若谷很好、謙謙君子也很好，

但是放眼世界你會發現，並沒有越強的人越謙虛這件事。

LV主席、NBA的一代霸主勒布朗．詹姆士（LeBron James）、

蘋果公司創辦人賈伯斯、特斯拉執行長伊隆．馬斯克……等無數世人眼中的強者，

他們的人格特質應該沒有人會用謙虛描述吧。

不要再用謙虛才會變強這種概念綁架別人了。

並不是說要成為驕傲臭屁的人，

而是在強調「不要以為自己很厲害」、「虛心才會進步」的環境下，

大人常常會把打擊小孩合理成激勵和讓他們學習謙卑，

被否定過的都知道那種感覺不好受。

你一直批評小孩就是在打擊他的信心，
一但他失去信心，他很容易停止愛自己。
沒有什麼無緣無故的自卑，
都是經歷了太多次挫折、打擊、質疑。

我並不覺得誇小孩幾句他就會自視甚高狗眼看人低，
相反的我覺得常被誇獎的小孩，也會自然的去誇獎別人，不會吝嗇給予鼓勵。
很少被讚美的人，
一誇他他還會覺得自己不配、覺得要不辜負你的期望壓力很大、
覺得是不是對方誇完後接著會說要檢討他的事。
我就想讓小孩習慣被誇，
我就想把他們誇出眼裡有光、身後有依靠的自信。

以前和老楊看選秀節目，
有些評審說出：「你一定會有很好的未來。」這種話時，

我和老楊還會有點不以為然，
覺得你講出這句話，他以後未來沒有很好你也不能負責。
後來發現美國人真的會用「you can do everything」來鼓勵人，
但大家也沒有因此就以為自己可以飛天遁地啊，
這句話就是升級版的加油而已。

誇獎真的是有力量的事情，
誇獎也是鼓勵，它不是實事求是的陳述、也不是承諾。
它就是要給你溫暖和自信，欣然接受它吧。
幾句簡單的鼓勵，也許會讓一些人越來越喜歡自己、帶著這些溫暖更勇敢的往前走。
就算別人的誇獎你不一定全盤接受，
但是別人正傳遞善意的這份心意，也能使人開心起來。
成年人的生活中，往往做得好是應該，做不好後果馬上撲面而來，
打擊已經比被肯定多了那麼多，我們不需要對於誇獎那麼吝嗇。

胖子

你如果去側面觀察一下他
你就會看到　他有雙下巴

你如果去全面了解一下他
你就會看到
別人 360 度無死角
他 360 度無稜角

你如果去開導一下他
就會發現　他太多心事了
憋得不好瘦

黑金媳婦

第5章

01

你的年齡沒有給你冒犯別人的權利

在婚後的第七年，
我終於在婆婆說心疼兒子需要洗碗，
以及辱罵我是寄生蟲之後，
進化為黑金媳婦。

我在粉專上
分享了我公婆的各種奇葩言論與事蹟，
引起了不小的迴響，
甚至被多家媒體轉載報導，
因為我雖然是分享我的事，
但其實對很多人來說並不陌生。
就算沒有發生在你身上，
也有發生在你媽媽、你奶奶、你姑姑、
你嫂嫂、你朋友身上。

到底為什麼婆媳問題會普遍成這樣？
我覺得有三個主要原因：
第一是華人教育習慣設立階級，一旦階級產生，就既沒有平等也沒有尊重；
第二是人與人的界線問題；
第三是華人愛面子，並且常常把面子綑綁在莫名其妙的事情上，
像是以「家醜」為由想讓大家羞於討論，
而越少人談論，事情不但不會消失，還越少出口。

公婆時不時會從台灣來美國與我們住一個月，
每次來打擾，他們都是用長官視察、皇上微服出巡的角度，
盯著晚輩做了多少事、睡了多少覺、會不會伺候人、什麼時候洗碗、
有沒有偷懶、給小孩吃了什麼、小孩有沒有黑眼圈，
這種「變老就變高階」的內核、媳婦熬成婆的意涵，
它沒有平等、不談尊重，是文化的糟粕。

眾所皆知，長輩是不太可能改變的。
他們不改，也不代表晚輩就得忍耐，
面對那種會罵媳婦有病的婆婆，
真的是早黑早享受。
會口出惡言的人，不會只口出惡言一次。
會讓你噁心的人，也不會只噁心你一次。
黑金媳婦一被啟動，就永遠不回頭。

想要得到尊重，
絕對不是用「我是長輩」、「我比你大」來壓人，
要脅來的尊重也不是真的尊重。
他們當然可以這樣索討，但我們不一定要理他，
想要推翻的制度，總得試著對抗它。
不是說不尊重，

而是你不能以「你要尊重我」來命令我非得做什麼或不能做什麼，
你的年齡並沒有給你冒犯別人的權利。

華人有一個「誰要比較尊敬誰」的觀念，
這也助長了鄙視鏈的產生。
為什麼是「尊敬長輩」而不是「彼此尊重」？
長輩得到額外的尊敬，因為他活比較久？

「越老越高級」這事，既不費力、也不合理，且對人的荼毒最深。
你也可以感受到這社會對待小孩的隨意，
對別人的小孩隨便摸、隨便管、隨便評論，
以為自己年紀比較大就沒有往下冒犯的問題。
不應該是這樣。

有些父母把小孩當成「屬於自己可以任意管教的所有物」，
而不是當成一個「人」來對待，也是一樣的問題，
我婆婆曾對我說：「我把老楊養好送給妳了，妳真的是好福氣。」
我：「……？……謝謝？」
但，老楊是妳想送誰就送誰嗎？
然後依照這個邏輯，我爸媽不是也把我養好送給老楊了嗎？
那種把小孩當成所有物的感覺，讓我渾身不適。

如果尊重需要加上地位比他高、階級比他高、年紀比他大的條件，
這不是尊重，這只是慕強。

而「你不改我也不忍」的態度，
就是在向長輩表明：不好意思，我們是平等的，
只有互相尊重跟互相不尊重，沒有你比較老我就要接受你的冒犯這件事。

02

關於界線

「劃清界線」這句話乍聽之下很決絕，
然而人在什麼時候會想劃出界線呢？
就是在界線被踩到、不得不劃的時候。

一個沒有界線的人，
是不可能整理好人際關係的秩序的。
因為再親近的關係，
都不能無上限的冒犯。

有界線感的人，
一定是溫柔且照顧別人情緒的人。
不該說的不說、不該問的不問，
因為他們知道無心傷害也是傷害，
所以會警醒的去避免。

界線的概念，會隨著時代改變。
以前農業社會，整個村或整個家族一起養小孩，
大家對彼此負的責任多、相對的權力也多，
三姑六婆一起幫忙你養小孩、也會一起管你的小孩。
然而舊時代的關係並不是全部都能沿用到現在，
我認為「嫁給一個人，就是嫁給一家人」就是應該淘汰的、失去了界線分寸的觀念。

我公婆屢次不承認他們在老楊不在家時跟我講的話，
因為他們不知道，為了方便顧小孩，我們家到處都是攝影機，
看著監控裡他們坐在沙發上對著鏡頭盡情講些恐怖的話，
我真的是反胃到不行。

由於公婆不斷的說要跟我爸媽告狀，
於是我先蒐集好錄音錄影傳給了我媽。

我媽看完我傳給她的公婆謾罵錄像後失眠了。
我起床看到我媽打了千字文來，
內容全是細數我是一個多好的人，怎麼可以這樣被對待。
我告訴她，如果公婆找上門，這些一句都不用講。
只要明確簡單三點即可：
我並不是嫁入名門貴族當豪門媳婦，拿了你們多少資源得接受你們的管轄，
我與我先生獨立組成了家庭，你們是打擾了小孩的生活到他們家作客；
你們的行徑不管身而為客或生而為人都有失分寸；
尊重是互相的不是只給長輩的。

因為我是怎樣的人，不需要跟他們證明，也不需要給他們任何素材著墨，
他們來我家就是客人，不是皇帝下鄉出巡、也不是長官視察檢驗，
我的生活，不提供他們審視和評鑑。

要挑剔他們絕對可以找出無限多的題材，

畢竟他們都故意在我朋友面前講到四年前我不做副食品這種明明沒有任何錯誤、

但他們卻試圖想引導大家我很失職的往事了，

當老楊告訴他爸媽我平常白天帶小孩、晚上還得工作時，

他爸媽會覺得我很辛苦嗎？

並不會。

我公公只問了：「那她帶小孩的品質怎麼樣？」

我婆婆還問我：「妳做了什麼家事？」

即便我囊括了幾乎所有家務、全天候顧小孩、還有一份正職，

我仍然回：「我做了什麼不需要跟妳報備。」

這就是明確界線。

不需要跟她解釋任何不歸她管的事，

不用讓她有更多的題材發揮她的惡意。

而他們逼問兒子的收入，說：「以後你小孩不告訴你他的薪水，你們也會有隔閡。」

這種亦是對於分寸和界線失去拿捏。

沒有認知到小孩已是獨立的成人、不是自己想刺探什麼就刺探什麼，

一旦踰矩界線、沒有隱私的劃分，只會迫使對方把界線加寬。

最後，那些覺得「家務事不要拿出來講的人」，

你在指點別人的家務事該不該講的時候，就是在幫別人規範界線。

而你建立的界線裡，是沒有在規範自己不要去管別人的。

別人要不要講自己的事、家務事能不能講，

不需要你同意。

你看，邏輯自證並不容易。

03 關於女性經濟獨立

女性一定要出去賺錢，
跟女性一定要在家相夫教子，
這兩句話狹隘的程度是一樣的。
因為身為一個自由的個體，
女性沒有一定要怎樣。

某次我婆婆謾罵我是寄生蟲，
她還有問我這房子是我的嗎？
（廢話，當然是。）
我有繳一毛貸款嗎？
（廢話，當然有。）
其實我大概知道
她是想要以職業婦女的身分，
對家庭主婦進行羞辱。

儘管我根本不是家庭主婦，
但我也不跟他們解釋我在全天候顧小孩的同時，
當全職 KOL 的工作量與收入完全是一份正常的職業，
因為就算我是家庭主婦，你也不能說我是寄生蟲。

持家、育兒，是非常龐雜的事，
我很不喜歡「職業婦女瞧不起家庭主婦」的這個鄙視鏈，
覺得女性沒有自己賺錢，就沒有底氣，這背後的思想是什麼？
出門工作的職業比在家帶小孩尊貴？
太太跟先生要錢的時候是低聲下氣卑微的？
沒有自己賺錢就不敢花錢？
要離婚的時候沒有保障？
這些都是在假設一個家庭中，先生是甲方、太太是乙方，這是雇傭關係。

誰賺錢誰說話大聲，這不就是父權遺毒嗎？
邊舉著兩性平等的新世代大旗，但是前提是妳也要賺錢才平等？
按照這個邏輯，那還要賺一樣多才一樣平等呢。

曾經有個富二代在聚會中暢談經濟獨立有多重要，
我想應該是因為沒有人對富二代說過：
「你爸媽的錢你不能用喔，你這樣是沒有經濟獨立。」
但是卻會對家庭主婦說：
「妳老公的錢妳不能用喔，妳這樣是沒有經濟獨立。」

Excuse me，要拿老公的錢，比拿爸媽的錢需要本事多了。
老公是自己掙來的，老爸不是。

如果把一個人的獨立跟尊嚴建立在有沒有錢上，

那沒有工作過的富二代，也是經濟獨立？
如果娘家的錢匯到家庭主婦的戶頭裡是經濟獨立，
那老公的薪水直接匯到太太的戶頭，算不算經濟獨立？
不缺錢的家庭主婦，就是經濟獨立？
那不是什麼獨立，那只是在說要有錢。
戶頭裡要有錢這件事我倒是覺得挺理所當然的，
但這錢跟是誰給的、是不是有出去工作就無關了。

我認為精神的獨立、思想的獨立、才是一個人是否獨立的關鍵。
不管怎樣，夫妻之間應該是平等的。
男人也沒有一定要當賺錢的那方，怎樣對家庭最好就怎樣。

一旦把人的尊嚴、對人的尊重跟金錢掛鉤，
鄙視鏈是永遠不會消停的，

這件事不健康。

胡適說：「人性最大的惡，恨你有、笑你無、嫌你窮、怕你富。國人與國人第一次見面，就打量對方的身分、身價，然後再選擇，是給對方跪著，還是讓對方給他跪著。」

對抗鄙視鏈，

就是對抗人性的惡。

04 面子與尊嚴

面子跟尊嚴是兩回事。
面子來自虛榮心，
尊嚴來自自愛、自重、自信。

「面子」就是「表面」的東西，
是在乎別人有沒有認為你好看體面。

「尊嚴」才跟人格有關。
一樣都是被人看到，
但有尊嚴的人是要求自己不要做
「見不得人的事」，
知道自己正正當當的活著，
當有人不把你當人看時，
你就會知道那不是你的問題。

所以人格健全的人，
做錯事認錯、不懂就詢問，
並不會傷到他的尊嚴。
家境、離婚、單親、收入多寡、工作階層、身分地位，
只要不是作奸犯科導致的，這些全部都不是丟臉的事，
受到傷害也並不丟臉。

我是一個不會把自己的人格和尊嚴跟莫名其妙的事綑綁的人，
我家裡很亂，我不覺得丟臉，
我帶小孩不小心睡著了，我不覺得丟臉，
我常常袒露我生活中看起來離體面非常遠的各種軟弱，我不覺得丟臉。
我有一對惡公婆，我也不覺得丟臉。

「歲月靜好是片刻，一地雞毛是日常。」

真實並不丟臉，因為我沒有做壞事。
坦然做個有瑕疵的普通人沒什麼，
能力有限不是人格缺陷。
有次我公婆在我家，我跟老楊邀請了朋友們來家裡，
而公婆故意把老楊支開，在我朋友們面前數落我家事做得少、成天都在睡覺，
說我「爆丟臉」，
他們的目的，就是要讓我丟臉。
他們覺得他們罵我就是我丟臉，但我並不這樣覺得，
因為該丟臉的永遠是做壞事的人、失控的人、無恥的人。

我公婆絕對沒有想到，他們羞辱我後會被我大寫特寫寫成連載，
因為他們以為，我會覺得丟臉不敢讓大家知道。
他們把公開羞辱當成讓人閉嘴變乖的下馬威，
當了一輩子老師的他們，絕對不是第一次這樣做，

他們甚至有可能從來沒有失敗過。
我在粉專上寫出這些後，
儘管我連公婆的名字和學校都沒有公布，
但我依然收到了非常多認出他們的學生來信，證實了這點。

好在「家醜不可外揚」這種迂腐的觀念要脅不了我，
這句話就是讓你出醜又怕你外揚的人說的，
因為發生的「家醜」並不是我的人格問題，比較像是不小心踩到大便而已。
做個有尊嚴的人，不用做個愛面子的人。
不要把尊嚴綑綁在面子上，
就不會有很多受害者因怕丟臉而不敢發聲。
你被傷害不是你丟臉，
容易感到丟臉的人，更容易受害，
因為傷害你的人也很清楚，你不敢講出來。

勇敢的確不是很容易，而且往往是有代價的。
但總要勇敢一點，才能保護自己，
做錯事的人應該要有報應，
你的反擊就是他的報應。

如同尼采說的：
「受苦的人，沒有悲觀的權利。
一個受苦的人，如果悲觀了，就沒有了面對現實的勇氣，
也沒有了與苦難抗爭的力量，結果是他將受到更大的苦。」
有些事情一旦忍了就得忍一輩子，黑化後才知道可以如此海闊天空，
早黑早享受，晚黑多折壽，
沒做錯事就別怕，黑金媳婦給你力量。

05

長輩也是需要被教育的

「不要來搶我小孩。」
這種話非常常出現在華人長輩的嘴裡。

我婆婆對我說：
「妳就是想把楊變成是妳的。」、
「老楊永遠是我的兒子！」
聽到這些話我都差點笑出來，
不然呢？
老楊不是妳兒子會變成我兒子嗎？
我是小魔女 DoReMi 嗎，
想把誰變成我的都行？

這種話就是以為一個成年人，
可以像物品一樣被搶來搶去，

把人當人看有這麼難嗎？

其實長輩對媳婦或女婿說出這種話，
可能是下馬威、
也可能是覺得小孩跟自己生疏了，而產生一種畸形的宣示主權和申訴，
然而如果覺得小孩跟你不再親近了，有沒有想過要檢討一下自己？
是不是自己的哪些行為把小孩推遠？
把不滿意的親子關係推到媳婦身上，非常省力，
但對關係是不可能有幫助的。

要讓長輩意識到，小孩已經長成一個需要被尊重的獨立個體，
有時候的確是需要花點功夫。

我自己也有一個非常會樹立威權形象的爸爸，

當初我要結婚，我爸叫老楊跟他報備人生的五年計畫、十年計畫，
我們沒花他們半毛錢要在美國買房，
我媽還叫老楊清晨五點起來跟我爸跨海視訊報告買房詳情，
他們當然有他們想保護女兒的良善立意，
但其實就是掌控。
而且是一個過界的掌控。
我後來非常明確的跟我爸媽說：
「我跟你們說我的生活，是分享，不是請示，
我是一個能為自己負責的成人，我做的決定沒有要經過你們的同意。」
有些父母跟小孩一樣，一次是教不會的。
我後來又鄭重的說了一次：
「你們再插手我的事情，就會連得知都無法。」
我爸就是那種一輩子在當教授、會說學生都不敢這樣跟他講話、
連我媽看電視他都能管、沒有被反抗過的人，

如果我不這麼強硬的捍衛自己的界線，
我永遠得不到我想要的自由。

我有跟父母關係很好的朋友，他們也遇到一樣的問題，
就是明明已經是成人了，父母還是非常掌控、
希望小孩人生的所有決定都經過他們的同意。
我提供了溫和的表明方式：
「你們含辛茹苦的把我拉拔長大，
讓我受了良好的教育、擁有獨立思考能力、好的情商和智商，
在你們的栽培下，我終於能夠獨當一面，
現在是你們不用擔心和放手的時候，
如果我現在還是只能仰賴你們的判斷，
那你們提供給我那麼多受教育的機會，不就白費了嗎？」
也可以開玩笑的加兩句反客為主：

「而且我才是得到最快最多一手資訊、反應靈敏能屈能伸的社會中流砥柱，
不如你們要做什麼決定來問一下我好了？」

如果你發現有些人用情商高的方式溝通不來也不用意外，
但是只要你想，界線一定是劃得出來的。
我一直都是擺明「溫和的方式不一定要用在你身上，
有時候是因為我知道沒有用、有時候是因為我覺得你不配」
這個你溝通得了我才會使用情商的態度，
反而非常有用。

後記

生出一本剖開自己的作品，
感覺我的靈感與陽壽都快要用盡了。
但同時文字也解救了我，
只有痛苦終於被言說，
我才能獲得排解它的能力。
書寫就是我的自渡。
如果這本書剛好也陪你走了一哩路，
那是我的榮幸。

不要做自己了，你做個人吧。

作　　者／Mumu
主　　編／蔡月薰
特約編輯／許景理
企　　劃／王綾翊
美術設計／謝佳穎
封面協同設計／Mumu
攝　　影／CLC Photos 周伶娟
內頁編排／郭子伶

第五編輯部總監／梁芳春
董事長／趙政岷
出版者／時報文化出版企業股份有限公司
108019 台北市和平西路三段 240 號 7 樓
讀者服務專線／ 0800-231-705、(02) 2304-7103
讀者服務傳真／ (02) 2304-6858
郵撥／ 1934-4724 時報文化出版公司
信箱／ 10899 臺北華江橋郵局第 99 信箱
時報悅讀網／ www.readingtimes.com.tw
電子郵件信箱／ books@readingtimes.com.tw
法律顧問／理律法律事務所 陳長文律師、李念祖律師
印 刷／勁達印刷有限公司
初版一刷／ 2022 年 7 月 12 日
初版十一刷／ 2023 年 1 月 13 日
定　　價／新台幣 350 元

ISBN 978-626-335-229-2 | Printed in Taiwan

時報文化出版公司成立於一九七五年，並於一九九九年股票上櫃公開發行，
於二〇〇八年脫離中時集團非屬旺中，以「尊重智慧與創意的文化事業」為信念。

不要做自己了，你做個人吧。／ Mumu 作 . -- 初版 . -- 臺北市：時報文化出版企業股份有限公司, 2022.07

面；　公分

ISBN 978-626-335-229-2(平裝)

1. CST：生活指導 2. CST：自我實現

177.2　　　　111004138